LA LLEGADA DE LOS FORASTEROS

Heath's Modern Language Series

CUENTOS CONTADOS

Twice-Told Tales
With Practical Exercises

BY

JOHN M. PITTARO, A.B.

STUYVESANT HIGH SCHOOL, NEW YORK CITY

AND

ALEXANDER GREEN, Ph.D.

ILLUSTRATED BY
BATES GILBERT

D. C. HEATH AND COMPANY

BOSTON   NEW YORK   CHICAGO   LONDON
ATLANTA   DALLAS   SAN FRANCISCO

PREFACE

"Twice-Told Tales," a Reader consisting of easy stories for young beginners in Spanish, is offered with a twofold purpose:

1. To bring within the reach of students reading material that will appeal to their *natural* interest and instincts;
2. To stimulate them to further reading in Spanish by offering an attractive beginning.

In the process of writing this collection, a study of the kind of story boys and girls look for in magazines in English has revealed that they enjoy reading about real people; that they are interested in stories of action, in the little narrative dramas of everyday life in which human beings, men and women, boys and girls of their own age, appear as actors upon the stage of life.

The present collection of Spanish stories, the authors believe, is akin to the type that the young student prefers to read in English. A number of them are brief narratives in which the salutary element of fun is predominant. Others, again, are stories of adventure and bravery, pathos and sentiment, and wisdom and even common sense. In most of them there is an element of heroism, sacrifice, ingenuity and similar

iii

qualities that the growing boy and girl admire and imitate.

The stories owe their origin to a variety of sources; but while the themes and outlines have been frankly borrowed, — largely from such Spanish or Spanish-American authors as Juan Valera, Antonio de Trueba, Luis Taboada, Fernán Caballero, Miguel Ramos Carrión, Javier de Viana, Ada M. Elflein, etc.— every narrative has been so recast in very simple language and atmosphere that all that remains of each original source is the author's formula. Moreover, the stories have been selected, from a far larger collection at first prepared, by means of a series of tests in the classroom, in which the opinion of the students alone has served as a guide for inclusion or omission. Not a few of the stories have been rewritten a number of times until they met the appreciation of the students. In *El legado del moro* they recognized with pleasure their old friend, *The Moor's Legacy*, by Washington Irving.

It will be noted that, while the descriptive element in the stories has not altogether been neglected, the conversational form has been given the preference wherever it was possible to do so. The language has been turned into easy and natural Spanish; the sentences have been written on a short and simple scale; a stock of everyday words has been embodied with repetition in different settings; constructions of highly idiomatic caliber have been avoided; the subjunctive, save in its imperative use, has studiously been omitted.

The *Cuestionarios* appended to each story, while adequate for testing the student's knowledge of the plot, are not so exhaustive as to preclude the framing of additional questions by the instructor. Teachers who are accustomed to frame their own questions will, it is hoped, consider the *Cuestionarios* as at least convenient analyses whereby the students may to some extent prepare themselves at home for more detailed discussion in the classroom.

The *Ejercicios*, for which use may be found in classes where a brief review of elementary grammatical principles is desired in connection with the reading text, have been made exceedingly simple. They have been so planned as to bring into play, in a carefully graded series, the grammatical topics that are usually studied in the first year of Spanish. The inclusion of a brief *Resumen gramatical* gives a handy survey of the topics used in the various Exercises; it also renders superfluous the employment of printed directions in the Exercises and permits of the use of model sentences which will be found to be a serviceable aid to visual memory.

The *Vocabulary* is intended to be complete in every respect. It includes not only words, grammatical forms, and adequate definitions but all the necessary annotations as well.

The authors are grateful to Professor E. C. Hills, of the University of California, for kind encouragement, and to Mr. Luis N. Sherwell, of the Stuyvesant High School, New York City, for assistance in proofreading. Their especial thanks are due to Mr. José

Padín and Miss María Luisa Muñoz, of the Latin-American Department of D. C. Heath and Company, who have read the manuscript and offered valuable suggestions; it is with a feeling of pleasure that this indebtedness is herewith acknowledged.

J. M. P.
A. G.

New York City

ÍNDICE

CUENTOS CONTADOS

Cuentos Contados

LECCIÓN DE GEOMETRÍA

Es una noche fría de invierno. El viento silba afuera. Adentro un leño grande arde en la chimenea.

Dos hermanos, Juan y Pedro, están sentados a la mesa. Juan tiene diez años, Pedro tiene 5 doce. Los dos hermanos repasan una lección de geometría.

— ¿ Cómo está el cuchillo ?

— Vertical.

— ¿ Y ahora ?   10

— Horizontal.

— ¿ Y ahora ?

— Oblicuo.

Como el hermano menor acierta todas las respuestas, el mayor le da un dulce de premio. 15

Lucía, niña de cuatro años, que escucha a sus hermanos, exclama:

3

— Yo también quiero jugar; quiero ganarme un dulce.

— Bueno, pero para ganar el dulce tienes que decirme cómo está el cuchillo.

5 Lucía mira el cuchillo, piensa y dice:

— El cuchillo . . . el cuchillo está sucio.

No es necesario decir que con esta respuesta recibe un dulce de su hermano y un beso de su mamá.

CUESTIONARIO

1. ¿ Qué noche es ?   2. ¿ Qué silba afuera ?
3. ¿ Qué arde en la chimenea ?   4. ¿ Quiénes están sentados a la mesa ?   5. ¿ Cuántos años tiene Juan ?
6. ¿ Cuántos años tiene Pedro ?   7. ¿ Qué repasan los dos hermanos ?   8. ¿ Cómo está el cuchillo ?
9. ¿ Quién acierta todas las respuestas ?   10. ¿ Qué le da el mayor ?   11. ¿ Cuántos años tiene Lucía ?
12. ¿ A quiénes escucha ?   13. ¿ Qué quiere ganarse también ?   14. ¿ Cómo dice que está el cuchillo ?

UN HÉROE

Hay un violento huracán. Un buque ha roto sus amarras. Va a estrellarse contra las rocas. Los marineros saltan al mar para salvarse.

El viento azota con furia. Nadie puede ayudar
5 a los marineros. Por fin llega un hombre a caballo al lugar del desastre. Ve a los marineros luchar con las olas y decide ayudarlos.

Hombre y caballo se lanzan al mar. Desaparecen entre las olas, y aparecen otra vez cerca del buque. Recoge el héroe a dos hombres y los trae sanos y salvos a la costa.

Repite esto varias veces. Así salva a catorce personas. Pero el caballo no puede resistir más. Una ola, azotando al hombre, le hace perder el equilibrio. El héroe cae en el agua y no aparece más.

CUESTIONARIO

1. ¿ Cómo es el huracán ? 2. ¿ Qué ha roto el buque ? 3. ¿ Contra qué va a estrellarse ? 4. ¿ Quiénes saltan al mar ? 5. ¿ Para qué saltan al mar ? 6. ¿ Qué azota con furia ? 7. ¿ Quién llega ? 8. ¿ Qué ve ? 9. ¿ Qué decíde hacer ? 10. ¿ Adónde se lanza con su caballo ? 11. ¿ En dónde desaparecen ? 12. ¿ Dónde aparecen ? 13. ¿ A cuántos hombres recoge el héroe ? 14. ¿ Adónde los trae ? 15. ¿ Quién no aparece más ?

LA QUEJA

En la gran casa comercial de Alonso y Compañía, un empleado antiguo está en el despacho

del director.   Pide permiso para presentar a éste una queja.

5   — ¿ Qué sucede ?

—Señor director: esta mañana han nombrado a Pérez para ocupar la vacante de Molina.   Yo soy cinco años más antiguo que Pérez y él es diez años más joven que yo.

10   El director le interrumpe:

—Hágame usted el favor de averiguar la causa de ese ruido.

El empleado sale y regresa diciendo:

—Son unos carros que pasan por la calle.

15   — ¿ Qué llevan ?

Después de otra salida:

— Llevan unos sacos.

— ¿ Qué contienen los sacos ?

Otra salida a la calle.

— No veo lo que llevan.

— ¿ Adónde van ?   5

Cuarta salida.

— Van hacia el este.

El director llama al joven Pérez y le dice:

— Hágame usted el favor de averiguar la

causa de ese ruido.   10

Pérez sale y regresa dos minutos después:

— Son cuatro carros cargados con sacos de

azúcar. Forman parte de diez toneladas que la

casa Aguirre manda a la estación Central. Esta

mañana los carros han pasado con igual carga.   15

El director se vuelve al empleado antiguo:

— ¿ Ha comprendido usted ?

CUESTIONARIO

1. ¿ Quién está en el despacho ?   2. ¿ En el despacho de quién está ?   3. ¿ A quién presenta la queja ?
4. ¿ A quién han nombrado ?   5. ¿ Para qué han
nombrado a Pérez ?   6. ¿ Quién interrumpe al empleado ?   7. ¿ Dónde hay ruido ?   8. ¿ Cuál es
la causa del ruido ?   9. ¿ Cuántas veces sale el
empleado ?   10. ¿ A quién llama el director después ?
11. ¿ Qué averigua Pérez ?   12. ¿ Cuándo regresa ?
13. ¿ Cuántos carros son ?   14. ¿ Qué contienen los
sacos ?   15. ¿ Adónde van los carros ?   16. ¿ Ha
comprendido el empleado ?

EL PERRO DE TERRANOVA

Un gran vapor cruza el océano Atlántico. Entre los pasajeros viaja Juanita, niña pequeña de siete años.   Uno de los pasajeros es dueño de un hermoso perro de Terranova.   Durante el viaje, el
5 perro y la niña se hacen muy buenos amigos.

Los dos pasan muchas horas juntos corriendo y saltando sobre cubierta.

Cierto día la niña sube a la borda del vapor y cae al agua.   Los pasajeros lanzan gritos de
10 alarma.   Los marineros corren a echar un bote al agua.

Pero el perro ya ha saltado al agua.   En pocos minutos nada hasta donde está la niña y la sostiene por encima del agua.

15 El padre quiere saltar al mar para salvar a su hija.   Uno de los pasajeros le dice:

— Cálmese usted, amigo; pronto tendrá usted a su hija en sus brazos.

El amo del perro es el que le habla.   Éste sabe
20 muy bien que el noble animal antes morirá que soltar a la niña.

El bote que han echado al agua llega hasta donde están la niña y el perro. ¡ Qué exclamaciones de alegría entre los pasajeros, cuando los
25 marineros los recogen !

Poco después el bote llega al vapor.   Y la madre recibe en sus brazos a la niña.

CUESTIONARIO

1. ¿ Qué océano cruza el vapor ?   2. ¿ Quién viaja entre los pasajeros ?   3. ¿ Quién es el dueño del perro ?   4. ¿ Qué perro es ?   5. ¿ Quiénes se hacen amigos ?   6. ¿ Dónde corren y saltan ? 7. ¿ Quién cae al agua ?   8. ¿ Qué gritos lanzan los viajeros ?   9. ¿ Quiénes echan el bote al agua ? 10. ¿ Qué ha hecho el perro ?   11. ¿ Hasta dónde nada ?   12. ¿ A quién sostiene por encima del agua ?   13. ¿ Qué quiere hacer el padre ?   14. ¿ Para qué quiere saltar al agua ?   15. ¿ Quién le habla ? 16. ¿ A quién no soltará el perro ?   17. ¿ Hasta dónde llega el bote ?   18. ¿ Quién recibe a la niña ?

EL TIEMPO ES ORO

Cierto día un hombre entra en la librería de Benjamín Franklin. Es uno de esos hombres que tienen mucho tiempo que perder.

Pide un libro al dependiente. Éste lo saca del estante, lo envuelve y lo entrega al comprador. El caballero pregunta al dependiente:

— ¿ Cuánto vale ?

— Un dólar.

— Está bien.

Entretanto lo desenvuelve, empieza a examinarlo, y después dice:

— ¿ No puede usted venderme el libro por menos ?

— Vale un dólar, señor.

— Está bien.

Después de leerlo un rato, pregunta:

— ¿ Está en casa el señor Franklin ?

— Sí, señor; pero tiene mucho que hacer en la imprenta. 5

— Deseo hablarle.

El dependiente llama a su amo) Franklin que lo ha oído todo aparece ante el mostrador. El caballero le muestra el libro que tiene en la mano.

— ¿ Cuánto vale, señor Franklin ? 10

— Un dólar veinte y cinco, señor.

— ¡ Cómo ! El dependiente de usted me ha pedido sólo un dólar, hace un minuto.

— Y yo le pido uno veinte y cinco.

El hombre calla y continúa leyendo. Franklin 15 calla también y espera. Así pasan cinco minutos.

— Bien, ¿ cuál es el último precio ?

— Dólar y medio.

— Pero, hace pocos minutos, usted mismo me ha pedido uno veinte y cinco. 20

4 —Lo sé, pero, ¿ no calcula el tiempo que usted me ha hecho perder hasta ahora ? En fin, como último precio usted puede llevarse el libro por dos dólares.

5 ¿ Qué puede hacer el hombre ? Necesita el libro, paga el último precio y sale de la librería. Y así Franklin le enseña que « El tiempo es oro ».

CUESTIONARIO

1. ¿ Quién entra en la librería ? 2. ¿ De quién es la librería ? 3. ¿ Quién tiene tiempo que perder ? 4. ¿ Qué pide al dependiente ? 5. ¿ Quién saca el libro ? 6. ¿ De dónde saca el libro ? 7. ¿ Qué pregunta el caballero ? 8. ¿ Cuánto vale el libro ? 9. ¿ Vende el dependiente por menos el libro ? 10. ¿ Quién lee el libro un rato ? 11. ¿ Qué pregunta después ? 12. ¿ Tiene Franklin tiempo que perder? 13. ¿ Qué precio pide Franklin ? 14. ¿ Por qué paga el hombre el último precio ? 15. ¿ Cuánto paga por el libro ?

¿ QUIÉN DICE LA VERDAD ?

Alguien llama a la puerta. El tío Pedro sale a abrir y ve a su compadre Tonín.

—Buenos días, compadre. ¿ Qué buen viento le trae a usted por aquí ? ¿ Cómo está la familia ? 5 ¿ En qué puedo servirle ?

—Pues nada ... Sé que usted es uno de nuestros amigos íntimos ... y espero ...

— Hable, hable usted, compadre.

— La verdad es que como he podado los olivos, tengo en el olivar cuatro o cinco cargas de leña seca que desearía traer a casa. Vengo a preguntarle, si usted puede prestarme su burro.   5

— ¡ Qué mala suerte, compadre ! Esta misma mañana ha ido mi chico a Córdoba montado en el burro. Volverá después de seis o siete días. El burro debe de estar seguramente a cuatro o cinco leguas de aquí.   10

Entretanto el burro, que está en la cuadra, principia a rebuznar.

Y Tonín dice al tío Pedro con enojo:

— Veo, tío Pedro, que usted no quiere hacerme este favor pequeño. Pero, ¿ por qué no me dice   15 la verdad ? Usted sabe muy bien que el burro está en casa.

— Oiga usted, amigo Tonín — contesta el tío Pedro —. Yo soy quien debe enojarse aquí.

— ¿ Y por qué usted ?   20

— Porque usted cree al burro y no me cree a mí.

CUESTIONARIO

1. ¿ Quién llama a la puerta ?   2. ¿ Quién sale a abrir ?   3. ¿ A quién ve ?   4. ¿ Qué le pregunta ? 5. ¿ Qué ha hecho Tonín ?   6. ¿ Cuántas cargas de leña tiene ?   7. ¿ Qué pregunta al tío Pedro ? 8. ¿ Adónde ha ido el hijo del tío Pedro ?   9. ¿ Cuándo volverá ?   10. ¿ Qué hace el burro entretanto ? 11. ¿ Dónde está el burro ?   12. ¿ A quién cree Tonín ?

RUBENS Y EL MONJE

Rubens, célebre pintor flamenco del siglo diez y seis, encuentra un magnífico cuadro en un convento de España. Representa la muerte de un monje. El artista queda asombrado ante la
5 obra maestra. Busca al prior del convento y le pregunta:

— ¿ Quién es el autor de este cuadro ?

— El autor ha muerto — contesta el prior.

— Nunca he visto un cuadro más hermoso y creo que su autor daría gloria inmortal a España y al mundo.

— El autor no vive; ha muerto para el mundo — repite el prior, y sus labios se agitan como 5 prontos a revelar el secreto del misterio.

Rubens, seguido de sus discípulos, sale del convento silencioso y pensativo.

El prior va a su celda, toma sus pinceles y pinturas y los arroja al río. 10

Decide abandonar la gloria del mundo para poder conquistar la gloria divina.

CUESTIONARIO

1. ¿Quién es Rubens? 2. ¿Qué cuadro encuentra? 3. ¿Dónde encuentra el cuadro? 4. ¿Qué representa? 5. ¿A quién busca el artista? 6. ¿Qué le pregunta? 7. ¿Qué le contesta el prior? 8. ¿Qué repite a Rubens? 9. ¿Qué tal sale Rubens del convento? 10. ¿Adónde va el prior? 11. ¿Qué toma? 12. ¿Adónde arroja los pinceles y pinturas? 13. ¿Qué decide abandonar? 14. ¿Para qué decide abandonar la gloria del mundo?

LAS DOS COLINAS

Juan y Pedro, dos aldeanos de Tortosa, suben a dos colinas distintas. Una está muy cerca de la otra. Desde allí desean ver los campos del lugar cercano.

5   Uno de ellos grita al otro:

— ¿ Ve usted qué bien se destaca aquel campanario ?

— ¿ Un campanario ? Usted está completamente equivocado. Lo que veo es un árbol muy 10 alto.

— No diga tonterías. Es un campanario. Desde aquí veo hasta la veleta que gira.

— ¡ No sea usted tonto ! — grita el otro indignado.

15   — ¡ Usted es el tonto ! — contesta el que ve el campanario.

Y los dos hombres bajan de las respectivas colinas. Van a reñir cuando acierta a pasar por allí el pastor del lugar, y les pregunta:

20   — ¿ Por qué riñen ustedes ? De lejos se oyen sus voces.

— Mi amigo Pedro pretende que desde lo alto de aquella colina se ve un campanario, y lo que se ve es un árbol. Sus ojos le engañan y quiere 25 engañarme a mí también — explica Juan.

— Suba usted conmigo — dice Juan al pastor —, y verá si tengo razón.

— Acompáñeme usted — añade Pedro—, y verá que lo que yo digo es la verdad.

— Dejen ustedes la discusión que no conduce a nada. Vengan ustedes conmigo.

Los dos hombres siguen al pastor, y suben a una de las colinas.

— ¿ Ven ustedes ? — les dice —. Desde aquí se ve un campanario con una torre y su veleta. La veleta se destaca claramente en el cielo azul.

— Entonces yo tengo razón — contesta Juan.

— Espere usted . . . ¿ Qué ven ustedes ahora ?

De la otra colina se ve un hermoso árbol que alza sus ramas frondosas hacia el cielo azul.

Y como los dos hombres quedan confusos, añade el pastor:

— No debemos olvidar que en esta vida, para ver la verdad de las cosas, debemos mirarlas siempre desde el mismo punto de vista.

CUESTIONARIO

1. ¿ Quiénes son Juan y Pedro ? 2. ¿ Adónde suben? 3. ¿ A qué distancia están las colinas ? 4. ¿ Qué desean ver los dos hombres ? 5. ¿ Qué se destaca desde una colina ? 6. ¿ Qué se destaca desde la otra ? 7. ¿ Qué grita uno ? 8. ¿ Qué grita el otro ? 9. ¿ Qué hacen luego ? 10. ¿ Quiénes van a reñir ? 11. ¿ Quién acierta a pasar ? 12. ¿ Adónde suben los tres ? 13. ¿ Qué se ve desde allí ? 14. ¿ Qué se ve desde la otra colina ? 15. Para ver la verdad de las cosas, ¿ de dónde debemos mirarlas ?

UNA SORPRESA

Una señora y un caballero viajan solos en un coche de un ferrocarril español. Los dos ocupan un departamento de primera, pero no se conocen. De pronto, el caballero que está sentado cerca
5 del pasillo del coche dice a la señora:

— Hágame usted el favor de mirar por la ventana durante cinco minutos.

— Con mucho gusto, caballero.

Y volviendo la espalda, pasa a la puerta del
10 pasillo. Poco después el caballero dice:

— Muchas gracias, señora, ya puede usted sentarse.

Al volverse la señora ve que su vecino se ha

convertido en una señorita elegante, con velo a la cara.

— Ahora, caballero o señora —, dice a su vez la dama —, hágame usted también el favor de mirar por la ventana.

El caballero vestido de mujer se inclina hacia fuera ...

— Ya puede usted sentarse, si desea.

Con gran sorpresa del caballero, la compañera se ha convertido en hombre. Ambos empiezan a reír.

— Parece que los dos deseamos viajar de incógnito.

— ¿ Qué ha hecho usted ?

— Yo he robado en el Banco de Inglaterra.

— Y yo soy el agente de policía que sigue a usted por dos días —. Conque — añadió sacando un revólver —, ¡ ríndase o le mato !

CUESTIONARIO

1. ¿ Quiénes viajan solos ? 2. ¿ En qué viajan ? 3. ¿ Qué departamento ocupan ? 4. ¿ Se conocen los dos ? 5. ¿ Qué dice el caballero de pronto ? 6. ¿ Qué contesta la señora ? 7. ¿ Qué ve al volverse ? 8. ¿ Qué dice la señora entonces ? 9. ¿ Quién se inclina hacia fuera ? 10. ¿ En qué se convierte la señora ? 11. ¿ Cómo desean viajar los dos ? 12. ¿ Qué ha hecho el uno ? 13. ¿ Quién es el otro ? 14. ¿ A quién sigue ? 15. ¿ Quién saca el revólver ? 16. ¿ Qué dice el agente de policía ?

EL BURRO Y LOS SABIOS

Dos sabios llegaron a una aldea de España con sus aparatos científicos. Hacían un viaje de estudio. Como ya era de noche, pidieron alojamiento a doña Teresa, una viejecita que estaba
5 a la puerta de su casa.

— Señora — preguntaron los sabios — ¿ podría usted alojarnos en su casa esta noche ?

— Con mucho gusto, señores — les contestó la vieja. Y los invitó a entrar.

10 — Señora, desearíamos dormir en el patio; la noche está muy hermosa.

— Será mejor dentro, porque va a llover.

— ¿ Cómo, señora ? — respondieron los sabios — ¡ llover ! ¿ Sabe usted que está hablando
15 con dos sabios ? Nuestros instrumentos y observaciones prueban que no lloverá. No hay el menor indicio de lluvia; la atmósfera está clara, el barómetro alto. ¡ No puede llover !

— Bueno, señores, pueden ustedes dormir en
20 el patio si desean — dijo la viejecita, entrando en su casa.

— Pero, ¿ ha visto usted gente más ignorante ?

— ¡ Y qué gente tan presuntuosa !   ¿ Notó usted con qué seguridad hablaba ?

— Sí, y hasta dijo que llovería esta noche.

Así hablaban los dos sabios mientras se acostaban en el patio de la casa.

Como habían caminado mucho y estaban cansados, pronto se durmieron. Aquella noche,

como había dicho doña Teresa, llovió mucho. Los dos sabios se vieron obligados a entrar en el primer cuarto que encontraron.

Al día siguiente al despedirse de la dueña de la casa estaban algo avergonzados.

— ¡ Ya les dije que iba a llover, señores !   ¡ Ya les dije que iba a llover ! — decía la viejecita en tono burlón.

— Señora, háganos el favor de decirnos cómo ha podido usted saber que iba a llover, cuando nosotros no pudimos ver el menor indicio con nuestros instrumentos. La atmósfera estaba clara, y el barómetro alto. ¡ No podía llover !

— Pues, la cosa es muy fácil. Tengo un burro
5 que cuando va a llover se rasca en las paredes. Ayer se pasó medio día rascándose.

— Compañero — dijo uno de los sabios —, vámonos de aquí; en esta aldea los burros saben más que los sabios.

CUESTIONARIO

1. ¿ Quiénes llegaron a la aldea ?   2. ¿ Qué viaje hacían ?   3. ¿ A quién pidieron alojamiento ? 4. ¿ Dónde deseaban pasar la noche ?   5. ¿ Qué contestó doña Teresa ?   6. ¿ Dónde deseaban dormir los sabios ?   7. ¿ Quién dijo que iba a llover ?   8. ¿ Por qué no podía llover ?   9. ¿ Por qué se durmieron pronto los sabios ?   10. ¿ Cómo llovió aquella noche ? 11. ¿ En dónde entraron los sabios ?   12. Al día siguiente, ¿ qué dijo la vieja a los sabios ?   13. ¿ Qué hace el burro cuando va a llover ?   14. ¿ Qué dijo uno de los sabios ?

EL PERRO RARO

Vivía en Madrid don Fermín, pintor tan famoso por la excelencia de su arte como por su ingenio. Un día fué a verle un rico campesino para hacer pintar una miniatura en su tabaquera.

5   — ¿ Y qué desea usted en esa miniatura ? — preguntó don Fermín.

— Un retrato de mi perro. ¡ Es un animal extraordinario ! ¡ Ah, debería usted verlo, señor ! ¡ Es tan inteligente ! ¡ No lo vendería por un millón ! ¡ Aprende tan fácilmente ! Por esa razón lo quiero mucho.

— Perfectamente.

— Y . . . ¿ cuánto me costará eso ?

— No mucho. Como la miniatura es de un animal tan inteligente . . . cincuenta duros.

— Muy bien — dijo el campesino.

Éste prometió volver al estudio del pintor quince días más tarde. La miniatura estaba hecha. El hombre la miró, pero como no estaba completamente satisfecho de la obra, dijo:

— El retrato es perfecto; sí, señor, es perfecto. Es mi perro. Hasta parece que está ladrando, pero quiero decirle a usted una cosa, señor. Ese animal tiene una cosa . . . algo muy particular: no se deja ver. Cada vez que alguien le mira, el perro entra en su perrera. Por eso desearía ver en la miniatura la casilla de mi buen perro. ¿ No podría usted pintarla ?

— Sí, señor; pero, ya ve usted, el trabajo está hecho y tendré que rehacerlo en parte para colocar esa perrera. Y naturalmente, eso le costará a usted un poco más.

— ¿ Cuánto ?

— Setenta y cinco duros en vez de los cincuenta — dijo el artista sonriendo.

— Perfectamente, acepto.   ¿ Cuándo vuelvo ?

— Dentro de ocho días.

Diez días más tarde el campesino volvió nuevamente al estudio del artista.   Éste le entregó la
tabaquera pintada.   Sólo se veía en ella una
perrera en medio de un patio.   El perro no se
veía en ninguna parte.

Al examinarla el campesino calló unos instantes.

Luego, como no podía explicarse el misterio,
preguntó:

— ¿ Y dónde está el perro ?

— Está adentro, señor.   ¿ No recuerda usted lo
que ocurrió el otro día, cuando vino usted a
verme ?   Los dos miramos al perro, y el buen
perro, al notar que lo mirábamos, entró en su
perrera.   ¿ No es ésa su singular costumbre ?

— ¡ Ah, sí; usted tiene razón ! — dijo el campesino —.   ¡ Qué animal tan raro ! . . .   ¡ Ahora lo
comprendo todo !

Y, muy satisfecho de la obra interpretada por
el artista, pagó los setenta y cinco duros y se fué.

CUESTIONARIO

1. ¿Quién era el pintor famoso? 2. ¿Quién fué a verle? 3. ¿Qué deseaba en la miniatura? 4. ¿Cuánto costaría la miniatura? 5. ¿Por qué aceptó el campesino? 6. ¿Cuándo volvió al estudio del pintor? 7. ¿Por qué no estaba satisfecho de la obra? 8. ¿Cuándo entra el perro en su perrera? 9. ¿Qué deseaba ver el campesino en la miniatura? 10. ¿Cuánto costará la miniatura con la perrera? 11. ¿Cuándo volvió nuevamente el campesino? 12. ¿Qué se veía en la tabaquera? 13. ¿Dónde estaba el perro? 14. ¿Por qué estaba adentro? 15. ¿Por qué tenía razón el artista? 16. ¿Quién pagó y se fué?

EL BOTÍN FATAL

— Perdone, señor — me dijo un anciano muy bien vestido que salía del ascensor cuando yo iba a entrar para subir —. Usted es el caballero que vive en el quinto piso, ¿no es verdad?

— Sí, señor.

— Muchas gracias.

— ¿Somos vecinos?

El señor anciano de noble aspecto alargó una tarjeta.

— Sí, señor... Yo vivo en el cuarto piso... 10 Deseaba conocerlo para pedirle un favor.

— Estoy a sus órdenes.

— Gracias... Mi alcoba está precisamente

debajo de la suya.   Usted llega todas las noches muy tarde.

— Soy joven y me gusta ir a los bailes.

— Usted hace bien, si eso le divierte.   Yo he
5 tenido su edad, y también me divertía.   Pero eso no importa.

— Conque . . .

— Cuando usted se descalza, todas las noches, tira violentamente al suelo un botín, y luego el otro.

10   — Es verdad.

— Como ya le he dicho, mi alcoba está debajo de la suya; los golpes de los botines siempre me despiertan, y como no estoy muy bien, no puedo dormirme nuevamente.   ¿ Puede usted hacerme
15 el favor de no hacer tanto ruido al acostarse ?

— Lo siento mucho . . .   Perdóneme usted . . . Le aseguro que eso no volverá a ocurrir.

Aquella noche fuí a un baile como siempre. Llegué a casa muy tarde, subí a mi cuarto, abrí la
20 puerta y entré.   Cuando me acostaba no recordé lo que había prometido.   Me quité el botín del pie izquierdo, y ¡ zas !, lo tiré violentamente contra un rincón.   En aquel momento recordé la conversación con el anciano.

25   — ¿ Qué has hecho ? — me dije —.   ¡ El pobre viejo se ha despertado seguramente !

Y con todo el silencio posible y el mayor cuidado, me quité el botín del pie derecho, lo puse en el suelo, me acosté y me dormí.

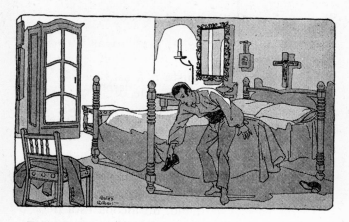

Dormía tranquilamente, cuando oí que alguien llamaba a la puerta.

Me levánté, encendí la luz y pregunté antes de abrir la puerta:

— ¿ Quién llama ?   5

Y una voz me contestó:

— Soy el criado del anciano de abajo.

— ¿ Qué desea usted ?

— Mi amo quiere saber si usted tardará mucho en quitarse el otro botín.   10

CUESTIONARIO

1. ¿ Quién salía del ascensor ?   2. ¿ Qué preguntó el anciano ?   3. ¿ En qué piso vivía el joven ? 4. ¿ En qué piso vivía el anciano ?   5. ¿ Dónde estaba su alcoba ?   6. ¿ Adónde iba el joven todas las noches ?   7. Cuando se descalzaba, ¿ qué tiraba al suelo ?   8. ¿ Qué despertaba al anciano ?   9. ¿ Por

qué no volvía a dormirse ?   10. ¿ Adónde fué el
joven aquella noche ?   11. Cuando se acostó, ¿ recordaba lo que había prometido ?   12. ¿ Qué tiró al
suelo ?   13. ¿ Quién se había despertado seguramente ?   14. ¿ Qué recordó el joven en aquel momento ?   15. ¿ Cómo puso el otro botín en el suelo ?
16. ¿ Quién llamó a la puerta ?   17. ¿ Qué quería
saber el anciano ?

EL AVARO CASTIGADO

Un pobre aldeano fué un día al monte por una
carga de leña.   Iba a venderla y comprar pan
con el dinero para su familia.   En el camino encontró una cartera.   En la cartera había cien
5 duros.   El aldeano los contó con placer y formó
muchos proyectos.   Vió un porvenir de abundancia y felicidad.

Aquella noche no pudo vender la leña, y la
familia se quedó sin comer.   Terrible era la ten-
10 tación para el pobre hombre, pero como el dinero
no era suyo no lo gastó.

A la mañana siguiente se pregonó por las
calles, como era costumbre en aquel tiempo, el
nombre de la persona que había perdido la
15 cartera.   Éste era un rico comerciante y ofrecía
una recompensa generosa.

— Aquí tiene usted su cartera — dijo el buen
hombre, entregando el dinero al dueño.

Cuando el comerciante concluyó de contar el dinero que había en la cartera, dijo al aldeano fingiendo enojo:

— Usted no me ha devuelto todo el dinero. La cartera contenía ciento treinta duros. Usted será castigado por ladrón y no recibirá ninguna recompensa.

Los dos fueron a la presencia del juez del lugar, muy conocido por su justicia.

— Dígame sencillamente cómo encontró usted la cartera — dijo el juez al aldeano.

— Yo, señor, encontré la cartera mientras iba al monte. Conté el dinero y sólo contenía cien duros.

— ¿ Qué dice usted ? — preguntó el juez al comerciante.

— Señor, lo que dice este hombre es falso. Mi cartera contenía ciento treinta duros; sólo él ha podido robar los treinta duros que faltan.

— Usted — dijo el juez al aldeano — refiere el hecho con tal naturalidad, que creo todo lo que dice. Usted muy bien habría podido guardarse todo el dinero lo mismo que una parte . . . Y usted, como comerciante honrado, estoy seguro de que dice la verdad. Pero, según lo que dice, es claro que la cartera que este hombre encontró no es la suya conteniendo los ciento treinta duros. — Tome, pues, la cartera — dijo el juez al aldeano —, y llévela a su casa. Sin duda su verdadero dueño aparecerá más tarde.

CUESTIONARIO

1. ¿ Quién fué al monte ?   2. ¿ Por qué fué al
monte ?   3. ¿ Qué iba a vender ?   4. ¿ Qué iba
a comprar ?   5. ¿ Qué encontró en el camino ?
6. ¿ Cuánto contenía la cartera ?   7. ¿ Por qué no
gastó el dinero ?   8. ¿ Quién había perdido la cartera ?   9. ¿ Qué ofrecía ?   10. ¿ Cuánto contenía
la cartera según el dueño ?   11. ¿ Quién será castigado ? 12. ¿ Recibirá la recompensa ? 13. ¿ Adónde
fueron los dos ?   14. ¿ A quién cree el juez ?
15. ¿ Quién recibe la cartera ?

LA BOFETADA

Vivía en Segovia don Tomás Fernández, hombre
muy caritativo. Habiendo dado todo lo que tenía
a los pobres, trataba ahora de interesar a sus
conocidos ricos en favor de sus protegidos. Iba
5 de puerta en puerta con una bolsa en la mano
pidiendo limosna para los pobres. No pocos de
sus antiguos amigos se reían de él.

Un día se acercó a la tienda de un rico comerciante y le dijo:

10   — Señor, ¿ no quiere usted darme algo para
mis amigos los pobres ?

— No puedo dar nada hoy . . .

Pero don Tomás insistió diciendo:

— Señor, invoco su caridad para una viuda
15 muy pobre con cuatro hijos. No tiene pan para
llevar a sus labios.

SEGOVIA

— ¡ No puedo dar nada ahora !

— Pues, invoco su caridad para un albañil que se rompió las dos piernas al caer de un andamio.

— ¡ Digo que no puedo dar nada ! . . .   5

— Vamos, vamos, señor, sea más compasivo; le aseguro que usted no tendrá mejor ocasión de hacer una buena obra.

— ¡ Repito otra vez que no puedo !   ¡ Déjeme en paz !   10

Al decir esto, le volvió la espalda y entró en su tienda.   Pero don Tomás le siguió.

— ¡ Déjeme en paz ! — dice el comerciante, ciego de ira.

— No, señor; usted tiene que darme una 15 limosna para mis pobres, no me iré sin ella.

Y diciendo esto se acerca más y más al comerciante enfurecido, con las manos tendidas, insistiendo con los ojos, con las palabras . . .

Entonces, el rico alza la mano y le da una 20

recia bofetada. Pero don Tomás, sin enfadarse,
le dice sonriendo:

— Bien, la bofetada es para mí; pero veamos
ahora, ¿ qué va a darme para mis pobres ?

5 El comerciante, avergonzado y reconociendo
su egoísmo, le dió una buena limosna y le pidió
perdón por su arrebato.

Don Tomás salió de la tienda triunfante.

CUESTIONARIO

1. ¿ Quién vivía en Segovia ?   2. ¿ Qué hombre
era ?   3. ¿ Qué había dado a los pobres ? 4. ¿ Para
quiénes pedía limosna ?   5. ¿ Quiénes se reían de
él ? 6. ¿ A quién vió un día ? 7. ¿ Qué le preguntó ?
8. ¿ Qué contestó a don Tomás ?   9. ¿ Cuántos hijos
tenía la viuda ?   10. ¿ De dónde cayó el albañil ?
11. ¿ Qué repetía siempre el comerciante?   12. ¿ En
dónde entró ? 13. ¿ Para qué entró don Tomás ? 14. ¿ Qué
le da el rico a don Tomás ?   15. ¿ Qué le dijo don Tomás
sonriendo ?   16. ¿ Qué limosna recibió don Tomás ?

EL VOTO CUMPLIDO

El tío Juan, el zapatero de Noreña, era pobre,
muy pobre. Tenía una sola vaca que daba leche
a su numerosa familia.

Cierto día Ramona, su mujer, cayó enferma.
5 Él, como hombre piadoso, hizo un voto. El voto
era que si ella recobraba la salud, vendería el
animal y donaría el dinero a la iglesia.

Esta promesa tuvo tal vez un efecto milagroso. Su mujer recobró la salud rápidamente.

El tío Juan se veía, pues, obligado a cumplir su voto. Pero le alarmaba sobremanera privar a su numerosa familia de la rica leche de la vaca. 5 Después de larga meditación resolvió el problema.

Llevó la vaca a la feria y con ella un gallo. Se

instaló en un buen lugar y esperó a los compradores.

— ¿ Cuánto pide usted por la vaca ? — pre- 10 guntó un comprador de la aldea, pasando la mano por la espalda del buen animal.

— ¡ Un duro ! — contestó con tristeza el tío Juan.

— El hombre está loco — murmuró para sí el comprador —. Quizás no me ha oído bien. 15

Repitió la pregunta. Obtuvo la misma respuesta. Sí, el hombre vendía la vaca por un duro. Entonces el comprador puso la mano en el bolsillo para sacar el dinero.

— Espere usted un momento — observó el tío Juan —. Vendo la vaca, sí; pero la vendo junto con el gallo. Si usted no compra los dos animales, no haremos negocio.

5 — ¿ Y cuánto pide usted por el gallo ? — preguntó el comprador sorprendido.

— ¡ Cien duros !

— Pero, hombre, ¿ está usted loco ?   ¿ Cien duros por un gallo ?

10 — Bueno, o compra usted los dos, o ninguno de los animales.

Después de larga meditación, el hombre decidió comprar la vaca y el gallo. El precio del gallo era evidentemente enorme. Sin embargo, el precio 15 de la vaca era tan bajo que el hombre creyó hacer buen negocio comprando los dos animales.

Y ¿ el tío Juan ? Donó a la iglesia el duro que recibió por la vaca. Con los cien duros que recibió por el gallo se compró otra vaca.

CUESTIONARIO

1. ¿ Quién era muy pobre ?   2. ¿ Cuántas vacas tenía ?   3. ¿ Qué familia tenía ?   4. ¿ Quién cayó enferma ?   5. ¿ Quién recobró la salud ?   6. ¿ Quién debía cumplir el voto ?   7. ¿ Qué llevó a la feria ? 8. ¿ Dónde se instaló ?   9. ¿ A quién esperó ? 10. ¿ Qué preguntó el comprador ?   11. ¿ Cuánto pedía el tío Juan por la vaca ?   12. ¿ Qué murmuró el comprador ?   13. ¿ Cuánto pedía por el gallo ?   14. ¿ Cuántos animales compró el hombre ?

15. ¿ Cuánto donó el tío Juan a la iglesia ?   16. ¿ Qué compró con los cien duros ?   17. ¿ Cumplió bien o mal su voto ?

LA CARRERA EN SACOS

I

— El colegio de San Nicolás no era muy grande — dijo Joaquín Durán —. Tenía unos sesenta alumnos. Había alumnos internos y externos, y plazas gratuitas para huérfanos. Yo era un alumno muy aplicado; recibía buenas notas en 5 historia e idiomas. En general me llevaba muy bien con todo el mundo. Me querían los profesores lo mismo que casi todos mis compañeros. Sólo uno, Pedro Montañés, me demostraba poca simpatía. No he podido explicarme esto todavía, 10 pues nunca le hice nada. No era envidia, porque

él era mejor alumno que yo. Era el primero de
la clase. En todos los exámenes recibía notas
de sobresaliente. El director siempre hablaba
de él como el orgullo y la honra del colegio. Era
5 un muchacho fuerte y sano, muy comunicativo
con todo el mundo . . . excepto conmigo. ¿ Por
qué ? No lo sé.

Todos los años, el día de San Nicolás, se
celebraba el santo del patrón del colegio. Las
10 familias de los alumnos eran invitadas. El
director, hombre de iniciativa, inventaba algo
nuevo para cada fiesta. Este año iba a ser una
carrera en sacos. Se había ofrecido un premio
de cinco duros al vencedor. ¡ Cinco duros !
15 Todos nos considerábamos capaces de ganar el
premio.

— Yo gastaré los cinco duros en una caja de
pintura — exclamó uno.

— Yo — añadió Pedro Montañés — iré diez
20 tardes seguidas al cine.

— Pues yo — dijo un muchacho llamado José
que era un interno muy pobre — yo, si gano
el premio, lo mandaré a mi mamá que está enferma. Pero no lo ganaré porque soy muy torpe
25 para esas cosas; lo ganará seguramente Joaquín
Durán.

— Seguramente — añadieron todos —. Chico,
para ti es el premio. Nadie en el colegio salta
y corre como tú.

II

Llegó por fin el día del concurso. En el patio grande del colegio se formó una especie de pista. A los dos extremos había ringleras de sillas para los espectadores. Estaban las familias de todos los alumnos. No había un asiento desocupado. 5

Nos pusieron en fila después de atarnos sólidamente los sacos a los hombros. Juan, el conserje, con una bandera en la mano, dió la señal.

— Uno . . . dos . . . tres. ¡*Adelante!*

Dejé pasar a los inexpertos, que, como esperaba, 10 pronto cayeron a tierra entre las carcajadas de los espectadores. Yo, metódicamente y sin prisa, iba avanzando. Con cada salto ganaba medio metro. Mis amigos me animaban con sus voces.

— ¡ Muy bien ! . . . ¡ Adelante, Joaquín ! . . . 15

Les había pasado a casi todos. De los pocos

que me llevaban ventaja, unos se habían caído, y los otros se habían quedado atrás. En un momento de descanso volví la cabeza. Detrás de mí venía Pedro, y detrás de él, José. El pobre muchacho hacía esfuerzos tremendos para mantener el equilibrio. Mis amigos continuaban animándome con sus voces.

— ¡ Adelante, Joaquín ! . . . ¡ Adelante !

De pronto siento que me dan un empujón y caigo a tierra. Pedro cae encima de mí. Con un violento esfuerzo trato de levantarme; pero Pedro me tiene sujeto. Su peso y las ataduras del saco no me permiten moverme.

Entretanto los gritos del público me advierten que ya hay un vencedor.

— ¡ Viva José ! . . . ¡ Viva José !

José ha ganado. No lo siento, pero no comprendo por qué Pedro me hizo caer. Me levantan, me quitan el saco y veo que Pedro viene hacia mí.

— ¿ Me perdonas por tirarte ?

— ¡ Ah ! ¿ Pero lo has hecho con intención ?

— Sólo así podía ganar José. El pobre muchacho necesitaba los cinco duros.

— ¿ Es verdad que lo has hecho por eso ?

— ¿ Por qué iba a hacerlo si no era por José ?

— Has hecho muy bien.

— ¿ Y no me guardas rencor ?

— Ninguno.

— Júramelo.

— Te lo juro.

— ¡ Chócala !

Nos dimos la mano, y desde aquel día fuimos los mejores amigos del mundo.

CUESTIONARIO

I. 1. ¿ Cuántos alumnos había en el colegio ? 2. ¿ Qué clase de alumnos había ? 3. ¿ Qué clase de alumno era Joaquín Durán ? 4. ¿ Qué notas recibía en historia e idiomas ? 5. ¿ Quiénes querían a Joaquín ? 6. ¿ Quién le demostraba poca simpatía ? 7. ¿ Quién era mejor alumno, Joaquín o Pedro ? 8. ¿ Por qué hablaba siempre de él el director ? 9. ¿ Qué se celebraba todos los años ? 10. ¿ A quiénes invitaba el director ? 11. ¿ Cuál iba a ser la sorpresa de ese año ? 12. ¿ Qué premio había ? 13. ¿ Qué iba a hacer uno, si lo ganaba ? 14. ¿ Qué iba a hacer José, si ganaba el premio ? 15. Según todos, ¿ quién iba a ganar el premio ?

II. 1. ¿ Qué llegó por fin ? 2. ¿ Dónde se formó la pista ? 3. ¿ Quiénes estaban allí ? 4. ¿ Quién dió la señal ? 5. ¿ A quiénes dejó pasar Joaquín ? 6. ¿ Quiénes cayeron pronto a tierra ? 7. ¿ Quién iba avanzando metódicamente ? 8. ¿ Qué gritaban sus amigos ? 9. ¿ Quiénes seguían a Joaquín ? 10. ¿ Quién hacía esfuerzos para mantener el equilibrio ? 11. ¿ Quién cae a tierra de pronto ? 12. ¿ Quién le tiene sujeto ? 13. ¿ Qué grita el público ? 14. ¿ Quién ha ganado ? 15. ¿ Quién va hacia Joaquín ? 16. ¿ Quiénes fueron buenos amigos desde aquel día ?

EL SALTEADOR BONDADOSO

Hace muchos años, Pepe Silva era el mensajero del pueblo pequeño de Pravia. Llevaba el dinero, los documentos importantes y los mensajes a la gran ciudad.

El oficio de mensajero requería integridad indiscutible. Además, el mensajero debía ser muy fuerte para resistir a los salteadores de los caminos. Pepe Silva era fuerte como un buey y hombre muy íntegro.

En uno de sus viajes, como hacía calor y estaba cansado, se sentó a la sombra de un árbol para descansar. Cerró los ojos y en seguida se durmió.

— ¡ La bolsa o la vida ! — gritó de pronto una voz junto a sus oídos.

Pepe abrió los ojos y vió delante de sí un campesino alto que le apuntaba con una escopeta.

Toda resistencia era inútil. El fiel mensajero tuvo que entregar al bandido el dinero que llevaba.

El salteador se iba cuando Pepe se volvió a él y con voz llorosa le dijo:

— Amigo mío, quedaré arruinado para siempre. Ya nadie tendrá confianza en mí. Todo el mundo creerá que he simulado un asalto y que me he guardado el dinero. Le pido un favor. Haga usted un agujero a mi gorra con un balazo. Así puedo presentar una prueba de que he sido asaltado.

El ladrón, impresionado por el ruego, atravesó de un tiro la gorra puesta en una rama.

— Hágame usted otro favor — continuó el pobre mensajero —, pegue otro tiro a mi chaqueta.

El bandido accedió también a esa súplica.

— ¡ Qué bondadoso es usted ! — exclamó Pepe 5 emocionado —, ¿ sería demasiado pedirle a usted un balazo también para mi . . . ?

— Lo haría con mucho gusto — contestó el salteador —, pero no tengo más balas . . .

— ¡ Ajá ! ¿ Usted no tiene más balas ? — dijo 10 Pepe con júbilo —. Entonces . . . — y terminó la frase a puñetazos.

El salteador quedó tendido en el suelo. Pepe Silva recobró el dinero y continuó su camino llevándose la escopeta como recuerdo.

CUESTIONARIO

1. ¿ Quién era Pepe Silva ? 2. ¿ Qué llevaba a la ciudad ? 3. ¿ Qué clase de hombre era Pepe ? 4. ¿ Para qué se sentó a la sombra del árbol ? 5. ¿ Cuándo cerró los ojos? 6. ¿ Qué gritó el campesino? 7. ¿ A quién vió Pepe? 8. ¿ Con qué le apuntaba el campesino ? 9. ¿ Qué tuvo que entregarle Pepe ? 10. ¿ Quién quedaría arruinado ? 11. ¿ Qué creería todo el mundo ? 12. Cuando el bandido se iba, ¿ qué le dijo Pepe ? 13. ¿ Cuántos balazos le pidió ? 14. ¿ Por qué no accedió el bandido a su última súplica ? 15. ¿ Quién quedó tendido en el suelo ? 16. ¿ Qué recobró Pepe ? 17. ¿ Qué se llevó como recuerdo ?

LA CASILLA DEL PERRO

I

Don Juan era senador del reino. Vivía solo
con sus libros. Minada su salud por cruel enfermedad, pasaba los días leyendo en su biblioteca.
Sólo salía de casa en coche para asistir al senado,
cuando era necesario, o para visitar a algunos de 5
sus pocos amigos.

La casa que don Juan habitaba estaba rodeada
de un jardín grande. Tenía casi el aspecto de
un bosque por la abundancia de árboles. A
la entrada, junto a la verja, había una casilla de 10
madera donde un enorme mastín pasaba el día.

El perro permanecía atado en la casilla hasta
la noche, cuando cerraban la verja del jardín y
las puertas de la casa. Entonces el portero le
soltaba de la cadena, y durante la noche el animal 15
gozaba de libertad absoluta. Al más leve rumor
ladraba furiosamente, si alguien pasaba cerca de
las tapias.

Una noche de invierno, el perro ladró tanto que el portero se despertó. Armado con una escopeta, salió al jardín para ver si alguien había entrado en él.

La débil luz de su linterna mostró que un bulto se había ocultado en la casilla del perro. El animal seguía ladrando furiosamente.

— ¡ Fuera de ahí ! — gritó el portero montando el arma.

— ¡ Por Dios, por Dios ! — exclamó una voz infantil — ; no me haga usted nada; yo no soy el ladrón.

— ¡ Sal de ahí, granuja, pronto ! — añadió el portero.

— ¡ Por Dios, por Dios ! — repitió el niño, que asomó la cabeza con timidez, sin salir todavía.

— ¡ Vamos, fuera ! — gritó el portero.

El niño salió, y, juntando las manos, dijo con voz temblorosa:

— No me pegue usted. El perro no me ladra a mí; Sultán me conoce, Sultán me quiere . . .

— ¡ Eh ! ¿ Qué dices ? — preguntó el portero sorprendido al ver que el animal no hacía caso del muchacho y que, ladrando, continuaba mirando hacia la tapia.

— Por allí — añadió el chiquillo —, por allí quería entrar alguien, y por eso ladraba el perro.

Sultán se había acercado al muchacho y le frotaba las piernas con el hocico.

Entretanto, despertado por los ladridos de
Sultán, abrió la ventana don Juan y preguntó:

— Francisco, ¿ qué pasa ?

— Señor — contestó el portero —, aquí hay un
golfo que ha saltado la tapia.   5

— No le haga daño — dijo don Juan —; suba
con él.

El portero le cogió por una oreja y se dirigió
hacia la casa diciendo:

— Ahora recibirás lo que mereces.   10

II

Cuando entró Francisco con el muchacho, que
temblaba de miedo, don Juan estaba sentado
junto a la chimenea.

— ¿ Cuántos años tienes ?

— Nueve o diez, no estoy seguro.   15

— ¡ Empiezas a robar temprano !

— Señor, juro que . . .

— ¡ Silencio ! ¿ Cómo te llamas ?

— Perico; pero todos me llaman el *Mirlo*,
porque silbo muy bien.   20

— ¿ Tienes familia ?

— No, señor; mi madre murió hace tres años.

— ¿ Dónde vives ?

— En todas partes.

— ¿ Y dónde duermes ?   25

El muchacho no contestó.

— Vamos, ¿ dónde duermes ?

— Si usted promete no pegarme, le diré la verdad.

— Puedes estar tranquilo; no te pegaré, y te daré una peseta si me dices la verdad, toda la verdad.

5   — Pues . . . hace tres meses que duermo abajo, en la casilla del perro . . . de Sultán.

— ¿ Es posible ?

— Sí, señor.

— ¿ Y no te muerde, ni te ladra ?

10   — No, señor; somos muy buenos amigos.

— Oye, muchacho, explícame cómo entras en el jardín. ¿ Cómo te has hecho amigo de Sultán ?

— El verano pasado, cuando usted estaba fuera de Madrid, un día vine a comer pan y queso junto

15 a la verja. Sultán ladró y yo le tiré unas cortezas que comió. Al día siguiente comí otra vez en el mismo sitio, porque había una sombra muy fresca, y dormí allí un rato. Y así le traje siempre algo

y le rascaba cuando se acercaba a la verja. Después de poco tiempo los dos éramos muy buenos amigos.

Don Juan escuchaba al muchacho con la boca abierta.

— Sigue, sigue — le dijo.

— Pero, si Sultán me quiere, es porque sabe que yo le quiero también. Y cuando alguien me da terrones de azúcar en el café, se los traigo a Sultán. Es verdad que yo también he comido de lo suyo, cuando no he comido todo el día.

— ¡ Cómo ! — exclamó don Juan —. ¡ Tú has comido . . . eso !

— ¿ Y por qué no ?

— ¿ Y cómo te ocurrió la idea de dormir en la casilla de Sultán ?

— Pues . . . el frío, el frío. Este invierno, cuando cayó aquella gran nevada, andaba yo buscando sitio para dormir. De pronto pensé una noche en la casilla de Sultán. Vine, salté la tapia, y como yo esperaba, Sultán me conoció, y en vez de ladrar, me acarició. Aquella noche dormimos juntos como dos hermanos. Cuando amaneció me fuí. Pero esta noche Sultán salió al jardín de pronto, ladrando como nunca, porque algún ladrón quería entrar, y este señor me ha descubierto.

El muchacho calló. Don Juan, después de meditar unos minutos, dijo a Francisco:

— Llévese a este muchacho a su casa, y mañana hablaremos de él.

Francisco y el muchacho salieron del cuarto dejando a don Juan lleno de asombro.

III

5 Ocho días después, Perico, convertido en lacayo, parecía otro muchacho. Los criados de la casa envidiaban a Perico porque don Juan le mostraba preferencias.

Pasaron días, semanas y meses, y Perico siempre 10 cumplía sus deberes.

Una noche lluviosa del mes de marzo, cuando don Juan dormía, un criado le despertó diciendo:

— Señor, Perico se ha escapado de casa.

— ¿ Qué dices ? — preguntó sobresaltado.

15 — Perico se ha escapado; hemos pasado por su cuarto y no está allí.

Don Juan se levantó muy mal humorado. Hizo buscar a Perico en todas partes sin encontrarlo.

20 De pronto le ocurrió una idea. Bajó al jardín y fué a la casilla del perro.

Allí, abrazado a Sultán y dormido, estaba Perico. Un ladrido del perro despertó al muchacho.

25 — ¿ Qué haces ahí ? — preguntó don Juan.

— Señor — respondió el muchacho trémulo —,

el pobre Sultán aullaba todas las noches.   Creí
que quería verme ... Y yo he venido a dormir
con él.

— ¡ Ah! — exclamó don Juan — tú tienes un
buen corazón.   5

Después dió un beso al muchacho en la frente,
y añadió:

— Con él dormirás de hoy en adelante; pero
en tu cuarto.   Ahora vámonos porque aquí hace
mucho frío.   10

CUESTIONARIO

I. 1. ¿ Quién era don Juan ?   2. ¿ Dónde pasaba
los días leyendo ?   3. ¿ Cuándo solamente salía ?
4. ¿ De qué estaba rodeada la casa ?   5. ¿ Qué
había junto a la entrada ?   6. ¿ Dónde permanecía
el perro ?   7. ¿ Cuándo gozaba de libertad absoluta ?
8. ¿ Cuándo ladraba ?   9. ¿ Por qué se despertó el
portero ?   10. ¿ Adónde salió ?   11. ¿ Qué vió ?
12. ¿ Qué gritó ?   13. ¿ Quién estaba en la casilla
del perro ?   14. ¿ Quién abrió la ventana ?   15. ¿ Qué
dijo al portero ?

II. 1. ¿ Dónde estaba sentado don Juan ?
2. ¿ Cuántos años tenía el niño ?   3. ¿ Cómo se
llamaba ?   4. ¿ Dónde vivía ?   5. ¿ Dónde dormía ?
6. ¿ Quién era su amigo ?   7. ¿ Adónde llevó Francisco al muchacho ?

III. 1. ¿ Quién parecía otro muchacho ?   2. ¿ Por
qué le envidiaban los criados ?   3. ¿ Qué dijo un criado cierta noche ?   4. ¿ En dónde buscaron a Perico ?
5. ¿ Dónde estaba Perico ?   6. ¿ Por qué había ido
a dormir con Sultán ?   7. ¿ Con quién dormirá
Perico en adelante ?

UNA AVENTURA

Viajaba yo un día por los Pirineos. Tenía por
compañero a un joven impulsivo e imprevisor.
En aquellas montañas los caminos eran malos
y los caballos andaban con mucho trabajo. Un
5 sendero que creímos practicable nos engañó y
nos extraviamos. Buscando nuestro camino a
través de los bosques, nos sorprendió la noche
cerca de una casa muy obscura.

Entramos, no sin recelo, pero, ¿ qué podíamos
10 hacer ? Allí encontramos una familia de carboneros sentados a la mesa cenando. Inmediatamente nos invitaron a comer. Mientras mi joven
compañero comía y bebía, yo examinaba el sitio
y la cara de nuestros dueños.

15   Parecían buenas personas, pero la casa tenía
todo el aspecto de un arsenal. En las paredes

y en los rincones había fusiles, pistolas, sables,
dagas y cuchillos. Aquello no me gustó y noté
que mi persona les desagradaba a los carboneros.
Mi compañero, al contrario, estaba allí como en
su casa. Reía y charlaba alegremente con ellos. 5
Les dijo de dónde veníamos, adónde íbamos,
quiénes éramos. Para no omitir ningún detalle
comprometedor dijo que éramos viajeros ricos y
prometió a aquella gente cuanto quería por la
molestia y por sus servicios. Habló de su valija 10
e insistió en que debía llevársela a su cama, pues
no quería otra almohada más que ella.

Cuando concluyó la cena, los carboneros nos
dejaron. Dormían abajo. Nosotros íbamos a
dormir allí en el cuarto de arriba, donde habíamos 15
comido. El cuarto era una especie de alacena,
al que se subía por una escalera. Había a su lado
otras dos alacenas repletas de provisiones para
todo el año.

Mi compañero se acostó con la cabeza apoyada 20
en su preciosa valija, y no tardó en dormirse.
Yo, resuelto a velar, reavivé el fuego y me senté.

II

Había pasado casi toda la noche. Empezaba
a tranquilizarme, cuando, hacia el alba, oí que
abajo el carbonero y su mujer hablaban a media 25
voz. Presté atención y oí claramente estas
palabras: « Bien, entonces ¿ será preciso matar

a los dos ? » — « Sí, debemos matar a los dos. »
Y no oí más.   Contuve la respiración; me quedé
más frío que el mármol; estaba más muerto
que vivo.   Pensé, ¿ qué podíamos hacer dos
5 hombres sin armas, contra diez o más, armados
hasta los dientes ?

Entretanto, mi amigo continuaba durmiendo;
no osé llamarle.   Huír era imposible porque la
ventana era muy alta, y al pie de ella había dos
10 enormes mastines.   Al cabo de un cuarto de hora,
que me pareció una eternidad, oí pasos en la
escalera.   Vi por la rendija de la puerta al amo
en la escalera con una lámpara en una mano y
un cuchillo grande en la otra.   Su mujer subía
15 tras él y le decía en voz baja: « Despacio,
despacio, no debes hacer tanto ruido. »

El hombre entra en el comedor, el cuchillo
entre los dientes, y llegando junto a la alacena,

mientras mi pobre compañero presenta el cuello
descubierto, agarra con una mano su cuchillo y
con la otra... ¡ ah ! toma un jamón que cuelga
del techo, corta una tajada y se retira en silencio... 5

Luego que amaneció, toda la familia con gran
ruido vino a despertarnos. Nos sirvieron un
desayuno exquisito del cual el trozo de jamón
formaba parte con *dos capones* gordos y suculen-
tos. 10

— Uno deben comérselo ahora — dijo la mujer
—, y el otro deben llevárselo.

Cuando vi los dos capones comprendí el sentido
de esas terribles palabras que me habían helado
la sangre: « ¿ Será preciso matar a los dos ? » 15

CUESTIONARIO

I. 1. ¿ Por dónde viajaban los hombres ? 2. ¿ Por
qué andaban los caballos con mucho trabajo ?
3. Cuando llegó la noche, ¿ dónde se hallaban los
viajeros ? 4. ¿ A quiénes encontraron en la casa ?
5. ¿ Dónde estaban sentados ? 6. ¿ A quiénes invitaron a comer ? 7. ¿ Qué hacía el compañero
joven ? 8. ¿ Qué hacía el otro ? 9. ¿ Qué aspecto
tenía la casa ? 10. ¿ Qué había en las paredes y
en los rincones ? 11. ¿ Qué dijo el compañero joven
a los carboneros ? 12. ¿ De qué habló especialmente ?
13. ¿ Adónde quería llevarse la valija ? 14. ¿ Dónde
iban a dormir los huéspedes ? 15. ¿ Dónde iban a
dormir los dos viajeros ? 16. ¿ Quién iba a velar ?

II. 1. Hacia el alba, ¿ qué oyó ?   2. ¿ Qué palabras oyó ?   3. ¿ Cuántos hombres armados había en la casa ?   4. ¿ Por qué era imposible huír ? 5. ¿ Qué vió por la rendija de la puerta ?   6. ¿ Qué decía la mujer en voz baja ?   7. ¿ Qué cortó el hombre con el cuchillo ?   8. ¿ Qué desayuno sirvió la familia a los dos ?   9. ¿ Qué formaba parte del desayuno ? 10. Cuando vió los dos capones, ¿ qué comprendió el viajero ?

SALOMÓN

A poca distancia del pueblecillo de Casares, había, hace bastantes años, unas casuchas de miserable aspecto, situadas en la ladera más alta de la sierra. Una de las casuchas, la más
5 pequeña, estaba aislada de las otras. Un bosque de castaños la ocultaba de los transeuntes.

En esta casa vivía una familia muy honrada y muy buena: el abuelo, un viejecito muy arrugado, llamado el tío Joselito, su hijo, su nuera
10 y dos nietas, de cinco y siete años, Ana y María.

Éstas eran el encanto y la alegría de la casa. Vivía también en ella, formando parte de la familia, un burro, — el burro más simpático que ha rebuznado en Andalucía. Se llamaba *Salomón*, y jamás burro en el mundo tuvo un nombre mejor 5 puesto. El animal era un prodigio de inteligencia. Salía y entraba solo en la cuadra, y se arrodillaba en el suelo como los camellos para dejar montar a las niñas. Cuando el tío Joselito iba a Ronda o a cualquier otro pueblo, bastaba gritarle el 10 nombre del lugar y *Salomón* se dirigía allí sin equivocarse. Muchas veces el tío Joselito se dormía, pero el burro no interrumpía su marcha ni torcía su ruta. Luego cuando volvía, si el tío Joselito continuaba durmiendo, *Salomón* 15 llegaba a casa, empujaba la puerta y entraba cargado con el viejo hasta la cocina.

— Ahí está el abuelo — decía el matrimonio.

— Ahí está *Salomón* — decían las niñas.

Un día tuvieron un disgusto muy grande. El 20 *Bizco*, un terrible bandido que por muchos años había aterrorizado toda la comarca, se presentó en casa del tío Joselito. Comió con los suyos y se llevó todo el vino y las provisiones que el pobre viejo guardaba para el año, y por fin 25 anunció que necesitaba llevarse al burro. Súplicas, protestas, llantos, todo fué inútil. El bandido dijo que le gustaba el burro y se lo llevó.

No es necesario decir que todos en la casa

lloraron la pérdida de *Salomón* como una persona
de la familia.   Las niñas estaban inconsolables.

Cuando el sol se ponía, oyeron en la puerta
de la casa voces que llamaban al tío Joselito.
5 Salieron a abrir y vieron al teniente de la Guardia
civil con ocho de sus hombres.   Venían todos
llenos de polvo, sudorosos y fatigados.

— Buenas tardes, tío Joselito.   Háganos usted
el favor, si puede ser, de una jarra de vino, que
10 estamos muertos de sed.

— ¿ Vino ?   ¿ Vino ? — contestó tristemente el
viejo.

— ¡ Cómo !   ¿ No tiene usted vino ?

— Ni siquiera una gota.

15 — Bueno, entonces dénos un poco de agua.

— Agua, agua sí, pura y fría como la nieve.
Pero vino . . . vino . . .

— ¿ Qué le pasa a usted, tío Joselito ?

— Nada, señor teniente.   Niña, saca la botija
20 para estos señores.   Dispensen si no podemos
ofrecerles otra cosa; si ustedes lo sienten, nosotros
lo sentimos más.

Luego, cambiando bruscamente la conversación:

25 — Parece que vienen un poco cansados.

— Bastante — dijo el teniente limpiándose el
sudor con el pañuelo —.   Estuvimos todo el día
tras el *Bizco*, que nos han dicho que anda por
aquí.   Y, a propósito, ¿ qué ha oído usted ?

Prudente como buen viejo, el tío Joselito no quiso comprometerse.

— El caso es que como vivimos tan solos, aquí no viene nadie . . .

5 Pero su hijo no le dejó acabar.

— ¿ El *Bizco?* ¿ Dice usted el *Bizco?* Sí señor; aquí estuvo esta mañana. Eran las diez. Tuvimos que darle de comer. Nos mató todos los pollos del corral y se llevó todo el vino y las

10 provisiones. Por eso no queda ni una gota . . .

— Y se llevó nuestro burro — dijo llorando una de las niñas.

— ¿ Y por dónde se fueron ? — preguntó intrigado y contento el teniente.

15 — ¿ Ve usted ese barranco ? ¿ Ve usted aquel árbol ? Por allí se tumbaron a dormir. Desde la loma los vi.

— Muchacho, ¿ estás seguro ?

— Con los ojos cerrados los encontraría yo.

20 Si ellos conocen la sierra, más la conozco yo.

— ¿ Quieres servirnos de guía ?

— ¿ Por qué no ?

— Pues, ¡ adelante !

Fueron inútiles todas las súplicas de la familia.

25 El joven se puso al lado del teniente, y seguidos de los guardias, pronto se perdieron en el bosque de castaños.

Fué una noche terrible de ansiedad y de angustia. El tío Joselito y su nuera la pasaron

rezando. Los dos temblaban horrorizados ante
la idea de la venganza del *Bizco*. Las niñas no
quisieron acostarse y estuvieron en un rincón
llorando en silencio.

El hijo del tío Joselito regresó muy tarde, casi 5
a la madrugada. Venía muy contento, y en dos
palabras contó el resultado de la contienda entre
los bandidos y la Guardia civil. Fué una cosa
muy rápida. Los pillaron de sorpresa. Dos de
ellos fueron heridos, y los demás tuvieron que 10
entregarse. La partida del *Bizco* había terminado
para siempre.

— ¿ Y *Salomón?* — preguntaron Ana y María
a la vez.

— ¡ *Salomón* . . . ! ¡ Nadie sabe lo que ese 15
granuja ha hecho con él !

En ese momento dos golpes sonaron en la
puerta de la calle.

— ¡ *Salomón!* ¡ *Salomón!* — gritaron las dos
niñas a un tiempo, locas de alegría —. Ése es 20
Salomón.

Sí; era él. Todos salieron a recibirle. El tío
Joselito le abrazó y empezó a darle besos. Las
niñas le acariciaban. El matrimonio le hablaba
con los epítetos más dulces. 25

— ¡ Encanto ! ¡ Alegría de la casa ! ¿ Pero,
eres tú ?

Su sorpresa fué grande cuando al quitarle
las alforjas vieron que las traía repletas de cosas

riquísimas: vino, jamones, chorizos, conejos y
perdices. Luego dos grandes bolsas de cuero
llenas de monedas de oro y de plata cayeron al
suelo.

5   En el primer momento se quedaron estupe-
factos; pero pronto lo comprendieron todo. Los
bandidos utilizaban a *Salomón* para llevar los
productos de sus robos. Cuando los sorprendió
la Guardia civil, no tuvieron tiempo de ocuparse
10 del burro. El burro, al encontrarse solo, cono-
ciendo perfectamente el camino, fué derecho a
casa, llevándose las provisiones y el tesoro de
los bandidos.

CUESTIONARIO

1. ¿ Dónde estaban situadas las casuchas ? 2. ¿ Por
qué estaba oculta la más pequeña ?   3. ¿ Quiénes
vivían allí ?   4. ¿ Quién era el tío Joselito ?   5. ¿ Quién
formaba parte de la familia?   6. ¿ Cómo se llamaba ?
7. ¿ Qué hacía solo ?   8. Para ir a un pueblo,
¿ qué bastaba gritar a *Salomón?*   9. Al llegar a
casa, ¿ qué hacía ?   10. ¿ Quién se presentó cierto

día en casa del tío Joselito ? 11. ¿ Por qué se
llevó al burro ? 12. Cuando el sol se ponía, ¿ quiénes
llegaron a casa del tío Joselito ? 13. ¿ Qué deseaba el teniente de la Guardia civil ? 14. ¿ Por
qué no tenía vino el tío Joselito ? 15. ¿ Qué ofreció
el tío Joselito a los guardias ? 16. ¿ Qué preguntó
el teniente al tío Joselito ? 17. ¿ Quién contó lo
que había pasado en la casa ? 18. ¿ Por qué no
quiso comprometerse el tío Joselito ? 19. ¿ Quién
sirvió de guía a los guardias ? 20. ¿ Cuándo regresó
el hijo del tío Joselito ? 21. ¿ A quiénes pillaron de
sorpresa ? 22. ¿ Qué había terminado para siempre ?
23. ¿ Quién llegó en ese momento ? 24. ¿ Quién le
besó ? 25. ¿ Qué traía en las alforjas ?

SAN IBO EL ABOGADO

Cuando murió San Ibo se dirigió al cielo y
llamó a la puerta. El portero del cielo, San Pedro,
que lo observó por la mirilla, le reconoció y, a
pesar de las buenas razones del santo abogado,
no quiso abrir. 5

— Todo lo que dices está muy bien — contes-
taba San Pedro —. Pero no veo posible permitir
la entrada de un abogado en el cielo; no sólo
no hay ninguno entre los santos, sino que juraría
que todos los de tu oficio están en el infierno. 10

San Ibo no se desconcertó; como buen abogado,
se defendió tan bien que por fin San Pedro le
dejó pasar al vestíbulo del cielo.

El abogado entró y se sentó tranquilamente

en el lugar que le indicó San Pedro. Éste fué a decir al Señor ₅ lo que ocurría.

— ¡ Has hecho mal! ¡ Has hecho muy mal, Pedro ! — dijo el ₁₀ Señor después de escucharle —. Era mi intención no dejar entrar a ningún abogado ₁₅ en el cielo; muchos motivos tengo para ello; pero ya que está adentro, puede quedarse. Procura, sin embargo, no dejarlo mezclarse con los demás santos, si no, la paz y la buena armonía se acabarán en el cielo. ₂₀ Hazle quedar junto a la puerta. Tenlo siempre a la vista.

Triste y cabizbajo volvió San Pedro y comunicó al nuevo huésped las órdenes dadas por el Señor. El santo abogado se encogió de hombros, y para ₂₅ pasar el tiempo entabló conversación con San Pedro.

— ¿ Y qué cargo ocupas aquí ?

— ¿ Qué cargo ? ¿ No lo sabes ? Soy portero del cielo.

— ¿ Cómo ? ¿ Por cuánto tiempo ?

— Para siempre, por supuesto.

— ¡ Ah ! Para siempre. Entonces tienes firmada alguna escritura.

— No hay escritura, ni hace falta. 5

— ¿ Por qué no ? ¿ Pero no comprendes que si algún día el Señor te destituye del cargo que ocupas con tanto celo no podrás hacer valer tus derechos ?

San Pedro se rascó la oreja, y, perplejo, más 10 triste que antes, se dirigió otra vez al Señor.

— ¿ Qué te ocurre, Pedro ? ¿ Qué quieres ?

— Señor, he pensado que sería necesario firmar una escritura haciendo constar que soy el portero del cielo para siempre, porque . . . 15

— ¿ Ves, Pedro ? — dijo el Señor sonriendo —, ¿ no te lo decía ? Todas esas cosas son intrigas de aquel abogado que está junto a la puerta, y que te ha llenado la cabeza de tonterías. ¡ Anda, Pedro, anda!, déjalo entrar en seguida. Prefiero 20 tenerlo junto a mí.

Y así entró el primer abogado en el cielo.

CUESTIONARIO

1. ¿ Adónde se dirigió San Ibo ?   2. ¿ Quién le miró por la mirilla ?   3. ¿ Por qué no quiso abrirle ? 4. ¿ Por qué no se desconcertó San Ibo ?   5. ¿ Por qué le dejó pasar San Pedro ?   6. ¿ Dónde tenía que quedarse ?   7. ¿ Por qué fué San Pedro al Señor ? 8. ¿ Por qué no ha hecho bien San Pedro ?   9. ¿ Dónde se quedó San Ibo ?   10. ¿ Para qué entabló conversación?   11. ¿ Qué preguntó a San Pedro?   12. ¿ Qué era San Pedro ?   13. ¿ Por qué no tenía firmada ninguna escritura ?   14. ¿ Adónde se dirigió otra vez ?   15. ¿ Quién le ha llenado la cabeza de tonterías? 16. ¿ Dónde prefiere tener el Señor al abogado ? 17. ¿ Por qué ?

EL ASNO ROBADO

Pepín era natural y vecino de la ciudad de Carmona. En toda Andalucía no podía hallarse un hombre más distraído y más inocente.

Pepín era generoso y caritativo con todo el
5 mundo. Habiendo heredado de su padre una haza, un olivar y una casa grande, era bastante rico.

Solía ir a su olivar montado en su burro, pero como pesaba mucho porque era gordo, para no
10 cansar al animal y hacer ejercicio, iba a pie parte del camino, llevando al burro detrás asido por el ronzal.

Unos estudiantes pobres lo vieron pasar un

día cuando regresaba a su pueblo. Pepín iba
tan distraído que no vió a los estudiantes. Dos
de ellos le siguieron un buen rato por el camino.
Por fin, el más audaz de los dos se acercó cautelosamente, desató al burro, se pasó por el cuello 5
el ronzal y siguió tranquilamente detrás de Pepín.
Entretanto el otro estudiante desapareció con el
animal.

Cuando el estudiante que se había quedado
comprendió que su compañero estaba ya lejos, 10
tiró del ronzal. Pepín volvió la cara y se quedó

atónito cuando vió que llevaba a un hombre en
vez de su burro. Éste suspiró y exclamó:

— ¡ Alabado sea Dios !

— Por siempre bendito y alabado — añadió 15
Pepín.

Y el estudiante continuó:

— Perdone usted, amo, el daño que le causo.
Yo soy su burro. Era un estudiante desaplicado.
Cada día estudiaba menos. Mi padre me maldijo, 20

diciéndome: « Eres un asno y deberías convertirte en asno. » Luego que mi padre pro-
nunció esta maldición, sentí que se me alargaban
las orejas. Cuatro años ya he vivido con forma
5 de burro, hasta este mismo momento cuando
recobré mi forma humana.

Pepín, con boca abierta, escuchó lo que le
contó el estudiante. Al fin exclamó:

— Perdone, hermano, los palos que le he dado
10 en varias ocasiones. Vaya a pedir perdón a su
padre . . . que es usted libre.

El estudiante le dió las gracias y se marchó.

Pepín, contento de su obra de caridad, volvió
a su casa sin burro. No quiso decir a su mujer
15 lo que había sucedido porque había prometido
al estudiante no decir nada a nadie de lo que
había ocurrido.

Pasó algún tiempo y vino el día de la feria de
Mairena.

20 Pepín fué a la gran feria para comprar otro
burro.

Se acercó a un gitano y . . . grande fué su
asombro cuando reconoció a su propio burro
puesto a la venta. Entonces dijo Pepín para sí:

25 — Sin duda ese pícaro de estudiante, en vez
de aplicarse, ha vuelto a sus pasadas travesuras,
su padre le ha echado otra maldición y el desdichado se ha convertido en burro por segunda
vez.

Se acercó furtivamente al burro y le dijo muy quedo a la oreja:

— ¡ Ah, burro, burro ! Ya te conozco; yo sé que eres estudiante.

CUESTIONARIO

1. ¿Quién era Pepín? 2. ¿Qué clase de hombre era? 3. ¿ Con quién era caritativo y generoso ? 4. ¿ Qué había heredado de su padre ? 5. ¿ Adónde solía ir ? 6. ¿ Qué tal iba parte del camino ? 7. ¿ Quiénes le vieron pasar ? 8. ¿ Cuántos le siguieron ? 9. ¿ Quién siguió detrás de Pepín ? 10. ¿ Por qué quedó atónito Pepín ? 11. ¿ Por qué se había convertido en asno el estudiante ? 12. ¿ Adónde envió Pepín al estudiante ? 13. ¿ Para qué fué a la feria ? 14. ¿ Qué vió en un puesto de venta ? 15. ¿ Por qué no compró al burro ? 16. ¿ Que le dijo a la oreja ?

LA TEMPESTAD

Hacía tres días que *el San Germán* había zarpado del puerto de Vigo. Navegaba con rumbo a las costas americanas con una mar tranquila, cielo espléndido y brisa agradable. Al cuarto día fué sorprendido por una terrible 5 tempestad.

Todo era confusión a bordo aquella tarde.

Un golpe de mar había descompuesto la hélice que no funcionaba ya. Otro golpe había barrido la cubierta y arrebatado tres hombres de la tripula- 10 ción.

El buque estaba perdido. No había ninguna esperanza de salvación.

No obstante, el capitán, bravo marino, aunque comprendía que la situación era deses-
5 perada, continuaba firme en su puesto en el puente haciendo frente a la furia del viento y de las olas. Daba sus órdenes a los tripulantes que las obedecían automáticamente.

Una ola formidable asaltó la cubierta del
10 vapor, barriendo el puente.

Cuando pudo verse de nuevo el puente, el puesto del capitán estaba vacío.

El terror se convirtió en pánico.

El golpe de ola no sólo había arrebatado al
15 capitán, sino que había inutilizado el timón. Además, había abierto una vía de agua por debajo de la línea de flotación.

— ¡ Nos vamos a pique ! — fué el grito general.

— ¡ A los botes ! ¡ A los botes !
20 Se abrieron las escotillas.

Los pasajeros, pálidos como espectros, se precipitaron sobre cubierta.

— ¡ A los botes ! ¡ A los botes ! — se gritaba en todas partes.
25 El buque, sin gobierno, tragaba agua por la herida abierta en uno de sus costados.

La escena fué terrible. Plegarias, gritos de angustia, sollozos, juramentos, maldiciones.

Los botes fueron echados al agua y ocupados

en medio de la más espantosa lucha. La sangre corría porque se disputaba a puñetazos y mordiscos el derecho de embarcar el primero en los esquifes. Sobre cubierta caían muchos hombres 5 heridos y aún muertos.

Cinco de los seis botes del vapor fueron ocupados. A fuerza de remo se retiraban del buque, que se hundía poco a poco.

El sexto, después de una bárbara lucha, fué 10 botado al agua y ocupado por los más fuertes.

De repente se vió una mujer, una joven hermosa, sosteniendo entre sus brazos un niño de unos tres años. Éste lloraba de espanto y la madre corría a la banda donde se había botado el 15 último esquife, gritando con voz ronca:

— Si ustedes tienen caridad y son hombres, salven a mi hijo; en sus ropas lleva el nombre de su padre y donde vive.

Y después de darle el último beso, lo arrojó 20 al bote.

Un marinero de aspecto feroz, que se disponía a empuñar la caña del timón, con gran destreza pudo recibir a la pobre criatura. La madre, inclinada sobre la borda del vapor, le dirigía 25 una mirada de agradecimiento.

Entonces, las lágrimas afluyeron a los ojos del feroz marinero, y blandiendo el hacha, gritó:

— Si alguien corta la amarra o toca los remos, le mato.

Y dirigiéndose a la joven:

— Tírese usted sin miedo, que aquí hay sitio para una madre.

CUESTIONARIO

1. ¿ De qué puerto había zarpado el buque ?
2. ¿ Con qué rumbo navegaba ? 3. ¿ Quiénes fueron sorprendidos por la tempestad ? 4. ¿ Qué había descompuesto la hélice ? 5. ¿ Por qué no había esperanza de salvación ? 6. ¿ Dónde estaba el capitán ? 7. ¿ Qué había barrido otra ola formidable ? 8. ¿ Quién había sido sepultado ? 9. ¿ Por dónde se había abierto la vía de agua ? 10. ¿ Cuál fué el grito general ? 11. ¿ Adónde se precipitaron los pasajeros ? 12. ¿ Qué se gritaba en todas partes ? 13. ¿ Cuántos botes fueron ocupados ? 14. ¿ Por quiénes fué ocupado el sexto ? 15. ¿ A quién se vió de repente ? 16. ¿ A quién sostenía entre los brazos ? 17. ¿ A quiénes gritó: « ¡ Salven a mi hijo ! » ? 18. ¿ Dónde llevaba su nombre el niño ? 19. ¿ Quién recibió al niño ? 20. ¿ Quién habló a la madre ? 21. ¿ Qué le dijo ?

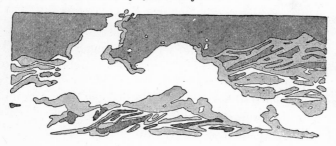

EL CUENTO DE LOS CONSEJOS

Vivía en Pamplona un mercader viejo y avaro. Al salir cierto día de una tienda llamó a un mandadero porque la canasta llena de vasos, tazas y platos, que había comprado, pesaba mucho.
5 Convino en pagar diez centavos al muchacho que iba a llevar la canasta hasta su casa.

Habían andado parte del camino cuando el mercader dijo al mandadero:

— Amigo mío, usted es muy joven; vivirá
10 todavía muchos años y podrá ganar mucho dinero. Yo, en cambio, soy viejo; muy pronto tendré que abandonar los negocios. Debería usted, pues, rebajarme un centavo del precio convenido por el transporte.

15 — Con mucho gusto — contestó el mandadero.

Alentado por el éxito, el mercader trató de obtener una nueva rebaja. Como el camino era largo, y el avaro insaciable, obtuvo otras varias rebajas. Cuando llegaron a su casa el mandadero
20 iba a recibir sólo un centavo por su trabajo.

Mientras subían la escalera, el mercader pensaba cuán agradable sería no pagar nada. Al llegar al último escalón se volvió hacia el muchacho y le dijo:

25 — Si usted no acepta el único centavo que ya le debo, le daré tres buenos consejos.

— Muy bien —, respondió el mandadero.

— Escúcheme. Si alguien le dice que es mejor
ser débil que fuerte, no lo crea usted. Si alguien
le dice que es mejor ser pobre que rico, no lo crea
usted. Si alguien le dice que es mejor andar a
pie que en coche, no lo crea usted tampoco.   5

— Muy estimado señor — dijo el pobre mandadero —; yo sabía ya todo eso; no era necesario
decírmelo; pero yo tengo que cumplir con el
pacto; usted no me debe nada. Y ahora si
usted me escucha, le daré un buen consejo y   10
no le cobraré nada.

Y tirando por el hueco de la escalera la canasta
llena de vasos, tazas y platos, que se hicieron
añicos al chocar con el suelo, añadió tranquilamente: 15

— Si alguien le dice que le queda un solo cacharro sano, ¡ no lo crea usted tampoco !

CUESTIONARIO

1. ¿ Quién vivía en Pamplona?   2. ¿ A quién
llamó ?   3. ¿ Qué había comprado ?   4. ¿ Por qué
pesaba mucho la canasta ?   5. ¿ Adónde iba a llevarla
el muchacho ?   6. ¿ Por cuánto iba a llevarla ?
7. ¿ Quién trató de obtener otra rebaja ?   8. ¿ Obtuvo otras rebajas ?   9. ¿ Cuánto iba a recibir el
mandadero ?   10. ¿ Recibió el centavo del mercader ?
11. ¿ Qué recibió el muchacho ?   12. ¿ Qué consejos
le dió el mercader ?   13. ¿ Cuántos consejos dió el mandadero al mercader ?   14. ¿ Qué tiró por el hueco de
la escalera ?   15. ¿ Qué consejo añadió el muchacho ?

LOS GATOS DEL PARAGUAY

I

En tiempo de la colonización española vivía en la Asunción una niña llamada Ana María, hija de un español y una india guaraní. Su padre, don Felipe Herrera, había sido uno de los fun-
5 dadores de Buenos Aires. Tenía don Felipe un hermano llamado don José. Era un marino valiente que había hecho muchos viajes entre España y América.

Don José quería mucho a su sobrina. Era
10 una muchacha encantadora de unos doce años. Tenía ojos grandes y cabello negro y abundante. Su voz era dulce y pronunciaba el español cantándolo ligeramente. Don José siempre decía que su sobrina iba a ser la joven más hermosa del
15 Paraguay. Cuando volvía de sus viajes, siempre le traía algunos regalos: vestidos, alhajas, semillas de flores desconocidas y otras cosas extrañas.

Una vez iba a salir para España, y llamándola a su lado le dijo:

— Ven aquí, niña; mañana salgo para España,
¿ sabes ?

— Feliz viaje, tío — respondió Ana María con
humildad y respeto.

— Y dime, niña, ¿ qué quieres de España ? 5
¿ No quieres una crucecita de oro ?   ¿ Un collar
de corales ? . . .

Ana María movía la cabeza a todo. Su padre
que estaba presente sonreía.

— Me parece que quiere algo, pero no quiere 10
decirlo — dijo don Felipe.

El tío sentó a la niña en sus rodillas.

— ¿ Hay alguna cosa que quieres y que no me
lo dices ?

Ana María hizo un signo afirmativo con la 15
cabeza, bajando los ojos.

— Pues bien, niña, dilo sin demora.

Ana María echó los brazos alrededor del cuello
de su tío, y besándole, dijo:

— Yo quisiera . . . quisiera . . . quisiera uno de 20
esos animalitos llamados gatos.

Al oír eso el tío rió alegremente.

— ¡ Un gato !   ¡ Quieres un gato ! — exclamó
el marino que seguía riendo.

— Pues quiere uno porque no hay gatos en la 25
Asunción, ni en todas estas regiones, contestó
el padre.

— Pues bien, tú tendrás el primer gato en el
Paraguay — dijo el marino abrazando a la niña —.

Buscaré el gato más hermoso de España...
Poco después don José se despidió de la familia
de su hermano.

El marino cumplió su promesa. No se sabe si
5 don José encontró el gato más hermoso de España,
pero embarcó en la *Estrella del Mar* no uno, sino
dos de esos lindos animalitos. Era una pareja,
un gato negro como el carbón, y una gatita blanca
como la nieve. Don José se alegraba porque
10 sabía que su sobrina estaría contenta.

Después de un viaje de muchos meses, la *Estrella del Mar* fondeó frente a la Asunción. Don
José tuvo el placer de saludar a su hermano y
de presentar a su sobrina el regalo. La niña
15 quedó encantada y su gozo no tenía límites.
Todos los vecinos acudieron a ver los dos gatos.
Los europeos vinieron a mirarlos. ¡ No habían
visto gatos por tanto tiempo ! Los gatos les
recordaban la patria querida. Los indios tam-
20 bién vinieron a mirar los animales. Los niños
formaban rueda en torno de Ana María, muy
ufana con sus tesoros. La llegada de los primeros
gatos fué un suceso importante en la Asunción.

II

En casa de don Felipe vivía un muchacho
25 guaraní. En el bautismo había recibido el nombre
cristiano de Juan. En su conversión cambió
de nombre y adquirió algunas ideas vagas de

religión, pero siempre tenía más miedo del infierno que amor a Dios.

Era muy querido en casa de don Felipe, pero tenía un vicio, robaba objetos brillantes.

El marino había regalado a su hermano un cuchillo. Cuando Juan lo vió se despertó en su corazón el deseo de poseerlo. ¡ Era tan brillante, tan hermoso ! . . .

Era media noche. No había ni luna ni estrellas. Ana María había preparado la cama a sus queridos gatos. Creía que pasarían la noche quietos y dormidos como ella. Pero cuando todo quedó tranquilo, salieron fuera para dar un paseo por los techos.

Aquella misma noche Juan no durmió. Cuando el silencio era completo, salió de la choza donde dormía con otros indios, y atravesó el patio para dirigirse al edificio principal. Sabía donde estaba el cuchillo e iba a robarlo . . . Mientras se acercaba a la casa, resonó un grito extraño, seguido de otros igualmente raros. Eran sonidos indefinibles, ora largos, ora breves. Seguía después un lamento melancólico y prolongado. Luego ocurría un momento de silencio, comenzaban otros sonidos, alternados con notas profundas y solemnes, y todo terminaba en un grito agudo.

Juan, lleno de horror, miró hacia arriba para descubrir de dónde procedían estas voces jamás oídas. La obscuridad era espesa y al principio

no distinguió nada en torno de él.   Pero poco
después vió ... cuatro puntos luminosos que le
miraban.   No dudó que eran brujas cantando un
himno al diablo.

5   Dos de aquellos ojos de fuego le miraban de un

árbol y parecían acercarse más y más.   De pronto
cruzaron el espacio como dos luces y cayeron al
suelo ...   Juan no esperó más.   Corrió imaginándose sentir en sus espaldas las garras de las brujas.
10 Claro que sabían que él iba a robar el cuchillo ...
    Y los gatos valientes de Ana María continuaron
lanzando sus gritos misteriosos sin sospechar su
nueva misión como protectores de las leyes
públicas.   Sus descendientes siguen paseándose
15 las noches por los techos del Paraguay sin asustar
a nadie.

CUESTIONARIO

I. 1. ¿ Dónde vivía la niña ? 2. ¿ Cómo se llamaba ? 3. ¿ Cuántos años tenía ? 4. ¿ De quiénes era hija ? 5. ¿ Quién había sido su padre ? 6. ¿ A quién quería mucho la niña ? 7. ¿ Qué decía siempre don José ? 8. ¿ Qué traía a Ana María ? 9. ¿ Para dónde iba a salir una vez ? 10. ¿ Qué quería la niña de España ? 11. ¿ En dónde no había gatos ? 12. ¿ Cuántos gatos trajo el marino ? 13. ¿ De qué color eran ? 14. ¿ Cuándo llegó a la Asunción la *Estrella del Mar?* 15. ¿ Por qué quedó encantada la niña ? 16. ¿ Para qué acudieron los vecinos ? 17. ¿ Por cuánto tiempo no habían visto gatos ? 18. ¿ Qué les recordaban ?

II. 1. ¿ Quién vivía en casa de don Felipe ? 2. ¿ Qué nombre cristiano había recibido ? 3. ¿ De qué tenía miedo ? 4. ¿ Qué vicio tenía ? 5. ¿ Qué había regalado el marino a su hermano ? 6. ¿ Qué deseaba poseer Juan ? 7. ¿ Qué había preparado Ana María para los gatos ? 8. ¿ Cuándo salieron los gatos ? 9. ¿ Para qué salieron ? 10. ¿ Cuándo salió Juan ? 11. ¿ Qué sabía del cuchillo ? 12. ¿ Cuándo resonó el grito extraño ? 13. ¿ Hacia dónde miró Juan ? 14. ¿ Qué vió ? 15. ¿ Qué creía ? 16. ¿ Por qué no robó el cuchillo. 17. ¿ Qué hacen los descendientes de los gatos de Ana María ?

LA CUERDA

I

¡Son las doce! El sargento Pérez debería haber llegado hace mucho tiempo.

El teniente López sacudió su pipa apagada. Se levantó y se acercó a la ventana de su barraca, de donde se veían las cimas nevadas de los Pirineos.

Desde el principio de los grandes fríos, vivía allí, sólo con su pelotón de cazadores. Impaciente por obtener las noticias que una vez por semana recibía, enviaba a un sargento para buscarlas, cuando el tiempo era favorable. Era un rudo trabajo que exigía cuatro horas de bajada y cinco de subida. El sargento Pérez, que había salido la víspera, debía haber vuelto por la mañana. Por consiguiente, su demora era ya alarmante. López se puso el capote y salió de la pieza caldeada. Subió a una eminencia de donde se veía el camino, que se retorcía y se hundía en el valle, hasta perderse de vista. La ansiedad se aumentó en el alma del teniente. Llamó al oficial y dijo:

— ¡ Un sargento y cuatro hombres con los útiles de salvamento ! La ausencia de Pérez me preocupa. Vamos en su busca.

Cinco minutos después, el grupo estaba reunido, provisto de cuerdas, mantas y gorros calados 5 hasta las orejas.

López miró a los cinco hombres atrevidos que desafiaban el peligro.

— ¡ En marcha !

Iban silenciosos, con paso rápido, preocupados 10 por el accidente que habría podido ocurrir al sargento Pérez. Era hombre rudo, intrépido y admirado de todos por su arrojo.

El sendero mostraba su superficie lisa, interrumpida solamente por las huellas que había 15 dejado el sargento al bajar. De pronto la nieve aparecía deshecha como barrida por una avalancha. El sargento Pérez había llegado hasta allí. El teniente retrocedió y exploró el pasadizo trazado por la caída de las nieves. De pronto, debajo de 20 una roca, se veía una mancha sobre la nieve, el paño de un uniforme. Aparecía en medio de un conjunto de rocas arrastradas por la avalancha ... El sargento Pérez estaba allí a cincuenta metros de profundidad. 25

— ¡ Las cuerdas ! — ordenó López.

Los cazadores las prepararon, y las ataron por los extremos. Uno de ellos se ofreció.

— ¡ Yo quiero bajar ! — añadió el teniente.

Y se ató la cuerda a la cintura.

— Ahora, amigos míos, ustedes van a bajarme. Arrollen la cuerda a ese abeto y déjenla deslizar suavemente. Primero ataré a nuestro compañero y ustedes lo izarán. Luego bajarán otra vez la cuerda y me subirán a mí.

Se agarró a la cuerda y se lanzó al espacio.

— ¡ Suelten ! — dijo.

II

La cuerda se deslizaba lentamente. El teniente, con su bastón ferrado, se preservaba de los choques contra las paredes del abismo; se figuraba la dificultad de subir un cuerpo inerte. Gritó:

— ¡ Alto !

El movimiento cesó.

— ¿ Podrán ustedes subirnos a los dos juntos ? — preguntó el teniente.

— ¡ Sí, mi teniente ! — respondió el cabo.

—Pero ¿ está la cuerda en buen estado ?

— Es nueva, mi teniente.

— Muy bien; ¡ bájenme !

Por fin llegó hasta donde estaba la mancha obscura. Ahora distinguía los detalles del uniforme. Tocó la parte donde yacía el sargento. Inmóvil, rígido, con los ojos cerrados, Pérez parecía muerto. Sin embargo, cuando deslizó la mano debajo de la chaqueta, sintió que el corazón palpitaba todavía.

— ¡ Vive ! — gritó el teniente.

Ató fuertemente el cuerpo por debajo de los brazos y luego ordenó:

— ¡ Suban con lentitud !

5 Allá arriba los hombres se encorvaban. La cuerda se estiró. El doble fardo empezó a subir. López, muy atento, sostenía con un brazo el cuerpo del sargento inanimado, y evitaba los obstáculos con el otro.

10 La mitad de la ascensión se había hecho, cuando los ojos del teniente se llenaron de terror. El frotamiento con la roca había cortado uno de los bramantes de la cuerda, que perdía poco a poco su resistencia bajo la doble carga. Solo, la 15 cuerda habría sostenido al teniente hasta el fin, pero con su doble fardo, ¡ era imposible !

Una horrible tentación acudió a su mente. Tanteó en el bolsillo el cuchillo que le libraría de su compañero. ¿ Para qué iba a arriesgar su vi-20 da por un hombre ya destrozado, quizás muerto ? Pero el pensamiento cruzó por su mente: « ¿ Iba a deshonrarse ? ¡ No ! » Juró para sí: « Morire-mos juntos. » Levantó los ojos con angustia.

Apenas algunos metros los separaban del fin, 25 cuando se rompió el segundo bramante. Ahora los sostenía sólo el tercero ... E iba a ceder ... La cuerda continuaba subiendo; uno por uno, los hilos del último bramante se rompían bajo la carga.

La cabeza del teniente asomó al nivel del camino. Con ademán desesperado levantó el bastón ... ¡ El último hilo iba a romperse !

¡ Varias manos se alargaron, le agarraron y le pusieron en tierra ... con el sargento salvado! 5

CUESTIONARIO

I. 1. ¿ Quién debería haber llegado ? 2. ¿ Qué se veía de las ventanas ? 3. ¿ Con quiénes vivía el teniente López ? 4. ¿ Cuándo recibía las noticias ? 5. ¿ A quién enviaba para buscarlas ? 6. ¿ Qué trabajo exigía ? 7. ¿ Quién había salido la víspera ? 8. ¿ Cuándo debía haber vuelto ? 9. ¿ Qué preocupaba al teniente ? 10. ¿ Cuántos hombres había en el grupo ? 11. ¿ Qué se veía sólo en el sendero ? 12. De pronto ¿ qué aparecía deshecha ? 13. ¿ Qué se veía debajo de una roca ? 14. ¿ Dónde estaba el sargento Pérez ? 15. ¿ Qué ordenó el teniente López ? 16. ¿ Quién quiso bajar ?

II. 1. ¿ Con qué se preservaba el teniente contra los choques ? 2. ¿ Qué se figuraba mientras bajaba ? 3. ¿ Qué preguntó a los hombres ? 4. ¿ Por qué podían subir a los dos ? 5. ¿ Adónde llegó el teniente por fin ? 6. ¿ Quién parecía muerto ? 7. ¿ Por qué parecía muerto ? 8. ¿ Por qué gritó el oficial « ¡ Vive ! » ? 9. Al atar el cuerpo de Pérez, ¿ qué ordenó ? 10. ¿ Qué había cortado el frotamiento ? 11. ¿ Por qué no podía sostener la cuerda a los dos ? 12. ¿ Qué buscó el teniente para librarse de su compañero ? 13. ¿ Qué juró para sí ? 14. ¿ Cuándo agarraron al teniente con el sargento ?

EL LAGO ENCANTADO

En el norte de la república Argentina hay un lago tranquilo, circular y rodeado de montañas cubiertas de vegetación. Los habitantes de aquella región lo llaman el *Lago encantado*. El
5 paraje sólo es accesible por una estrecha quebrada.

Durante gran parte del día el lago queda en las sombras. Sólo por pocos minutos llegan los rayos del sol a la superficie del agua.

Muchos años antes de la conquista española
10 habitaban aquellas regiones unas tribus de indios, vasallos de los Incas. En aquel tiempo vivía un « curaca » muy rico, respetado y querido por su pueblo. Poseía objetos de oro, trabajos de plumas y otras muchas cosas de valor inestimable.

15 Entre sus tesoros había una urna de oro que uno de los reyes Incas había regalado a su abuelo en señal de gratitud por un importante servicio. La urna tenía maravillosas virtudes: mientras estaba en poder de esa nación, los curacas gober-
20 naban en paz y el pueblo vivía tranquilo y feliz; pero si caía en manos enemigas, perecía la dinastía y reinarían poderosos conquistadores.

Todos los años en la gran Fiesta del Sol, la urna sagrada era puesta en exhibición. De todas partes venían los indios para adorarla.

II

Las razas indias tenían una tradición común. Era que un día debían llegar al continente hombres 5 de lengua desconocida, de piel blanca y de costumbres extrañas. Estos extranjeros iban a conquistar a los indios. Según unos, un dios iba a anunciar su llegada; según otros, un espíritu malo iba a traer consigo la muerte. Los pueblos que 10 vivían cerca del mar esperaban a los forasteros del otro lado del mar; para las naciones del interior, los forasteros iban a venir de allende las montañas, de los desiertos o de las selvas. El fondo de la leyenda era siempre el mismo. 15

Los años pasaron y la antigua leyenda se convertía en realidad. Los forasteros pisaban las costas del continente. Hombres atrevidos cruzaban las selvas, desafiando todos los obstáculos.

Cierto día un « chasqui » del Cuzco llevó la 20 noticia que del norte venían hombres de aspecto nunca visto.

En el país hubo un sordo rumor de inquietud. Los habitantes ofrecieron sacrificios humanos al Sol para aplacar su ira. 25

Poco después se supo que el Inca Atahualpa había caído prisionero en poder de los invasores.

Todo el país estaba en conmoción y los guerreros marchaban a defender a su rey.

III

La esposa del curaca se llamaba Ima. El noble amaba a Ima con ternura y pasión. Cuando
5 se recibieron las primeras noticias del Cuzco acerca de los invasores, la frente de la joven india se nubló; tuvo sueños de mal agüero.

— Tú estás inquieta —, le dijo su marido —; la mala noticia te ha alarmado, pero de todas
10 partes llegan guerreros y pronto el Inca estará libre de los invasores.

— Yo he soñado que las hojas de los árboles caían — contestó Ima —, y eso significa desgracia.

— Los sueños engañan muchas veces, mi
15 querida, no todos son enviados por los dioses.

— Pero éste sí, esposo mío — insistió Ima —. Y ayer, vi una bandada de pájaros que volaba hacia el norte. Un sacerdote me explicó que eso también indica calamidad.

20 El curaca disimuló su propia inquietud y se preparó a partir con sus tropas. Antes de partir llamó a Ima, y dándole la urna sagrada, le dijo:

— Antes de dejarla caer en manos de los enemigos, arrójala al lago sombrío, oculto en
25 medio de la sierra.

Ima prometió hacer lo que mandaba su esposo. A los pocos días el curaca partió con sus guerreros.

IV

Un día llegaron a la lejana provincia unos veloces chasquis. Anunciaron que el Inca Atahualpa había prometido al jefe de los invasores en cambio de su libertad, una sala llena de oro, y dos piezas más pequeñas llenas de plata. En todas partes del imperio mandaron recoger todos los metales preciosos.

Nadie rehusó, nadie murmuró cuando vino la orden de entregar los tesoros para rescatar al Hijo del Sol. Caravanas de riquezas maravillosas cruzaban el país por bosques, montañas, desiertos y ríos. Una de las caravanas paró en casa del curaca, donde recibió muchos objetos de oro y de plata.

El jefe que recogía los objetos de valor notó que Ima apartaba la urna. Como nunca había estado en aquella región, ignoraba las propiedades maravillosas de la urna sagrada.

— ¿ Por qué aparta usted eso ? — preguntó a la mujer del curaca.

Ima le explicó el motivo por qué guardaba la urna. Al guerrero no le interesó eso. Él había recibido orden de recoger todos los objetos de oro y de plata.

— Lo que usted dice no me importa — dijo a Ima —. ¡ Déme la urna !

5 — No; tome todo lo demás para el rescate del Inca, nuestro señor. Pero la urna he prometido no entregarla jamás.

— En nombre del Inca, ¡ déme la urna !

— ¡ Jamás !

10 Viendo que Ima no consentía, el guerrero quiso quitarle el objeto sagrado por la fuerza. Los criados de la casa acudieron y hubo una lucha. El ruido del combate atrajo gente que tomó parte en favor de Ima. En la confusión del 15 combate, Ima se escapó con el tesoro; iba a cumplir su promesa de arrojar la urna al lago y no dejarla caer en manos de los forasteros.

El jefe había visto huír a Ima y la siguió. Ésta corría con tal velocidad a través del valle 20 que su perseguidor varias veces la perdió de vista. Luego apareció a los ojos del jefe indio la superficie lisa y opaca del lago encantado.

Allí alcanzó a Ima cuando ésta levantaba los brazos con la urna. Los dos lucharon unos 25 instantes. La mujer del curaca que no podía sostener con éxito una lucha desigual, tomó una resolución suprema. Con un movimiento repentino se libró de las manos del guerrero, y alzando la urna sagrada, se arrojó con ella al agua.

El agua se agitó con un rumor de voces bajas y excitadas. El lago se iluminó pronto con una luz color de oro. El mágico espectáculo duró algunos instantes. El resplandor se apagó y el 5 guerrero vió otra vez el lago tranquilo en la sombra. Tenía por cierto que el fenómeno extraordinario provenía de la urna sagrada, y que los dioses iban a castigarle. Lleno de espanto, olvidando su altivez de guerrero, volvió la espalda 10 al lago misterioso, y huyó como un loco a través de las selvas.

Al día siguiente hallaron el cuerpo sin vida del indio . . . Y la urna no cayó en manos de los conquistadores.

CUESTIONARIO

I. 1. ¿ Qué lago hay en el norte de la Argentina ? 2. ¿ Cómo lo llamaban los habitantes ? 3. ¿ Quiénes habitaban aquellas regiones ? 4. ¿ Quién vivía en aquel tiempo ? 5. ¿ Qué poseía entre sus tesoros ? 6. ¿ De quién había recibido la urna ? 7. ¿ Cuándo viviría el pueblo tranquilo y feliz ? 8. ¿ Cuándo perecería la dinastía ? 9. ¿ Cuándo era puesta en exhibición la urna ? 10. ¿ De dónde venían los indios para adorarla ?

II. 1. Según la tradición, ¿ quiénes iban a llegar ? 2. ¿Qué creían unos ? 3. ¿Qué creían otros ? 4. ¿Qué se convertía en realidad ? 5. ¿ Qué noticia llevó el chasqui ? 6. ¿ Qué ofrecieron los habitantes al Sol ? 7. ¿ Qué se supo poco después ?

III. 1. ¿ Quién era Ima ?   2. ¿ Qué sueños tuvo ?
3. ¿ Qué dió a Ima el curaca ?   4. ¿ Qué no debía
dar a los enemigos ?   5. ¿ Adónde debía arrojarla ?
6. ¿ Cuándo partió el curaca ?

IV. 1. ¿ De dónde llegaron los chasquis ?   2. ¿ Qué
había prometido Atahualpa a los invasores ?   3. ¿ Qué
mandaron recoger en todas partes ?   4. ¿ Dónde paró
una de las caravanas ?   5. ¿ Qué notó el jefe que
recogía los objetos de valor ?   6. ¿ Qué ignoraba
el guerrero ?   7. ¿ Qué orden había recibido ?
8. ¿ Qué había prometido Ima ?   9. Cuando Ima
no quiso darle la urna, ¿ qué hizo el guerrero ?
10. ¿ Quiénes acudieron a la lucha ?   11. ¿ A quién
había visto huír el jefe ?   12. ¿ Dónde alcanzó a
Ima ?   13. ¿ Adónde se arrojó Ima con la urna ?
14. ¿ Qué vió pronto el jefe indio ?   15. ¿ Qué
creía que los dioses iban a hacer ?   16. ¿ Dónde
hallaron muerto al indio ?

EL CUENTO DEL GENERAL

I

— Había entrado de guardia por la mañana a
las ocho — empezó el general — en la cárcel de
la capital de provincia donde me encontraba.
Con una sección a mis órdenes, había de quedarme
las veinte y cuatro horas de guardia, metido en 5
una galería subterránea, húmeda y obscura, alum-
brada solamente por un farolillo de aceite.   Allí
la tropa tenía alojamiento, muy cerca del cuarto
destinado al oficial.

Para un muchacho joven y alegre como yo, la dichosa guardia era un martirio.

Eran las dos de la tarde cuando un rumor confuso de voces llamó mi atención. Al mismo 5 tiempo el cabo, aterrado, entró en mi cuarto, diciéndome:

— ¡ *Mi teniente*, venga por Dios ! ¡ Un soldado va a matar a otro !

— ¿ Y por qué me lo dice ?

10 — Nadie puede dominarlo. Es Morato que parece un Hércules.

El cabo hablaba con una elocuencia inspirada por el miedo. Como la situación era crítica y el tumulto era cada vez mayor, salí de mi cuarto y 15 entré en el de la tropa a imponer mi autoridad.

Los bancos y las mesas estaban tirados por el suelo. Los soldados gritaban. En el centro del cuarto luchaban dos hombres. La lucha casi había terminado; uno de ellos yacía bajo la 20 rodilla del otro, que apretaba con ambas manos su garganta. Aquél era Morato.

Cuando el cabo entró y gritó: ¡ *el teniente!*, Morato levantó la cabeza y me lanzó una mirada terrible. Sus ojos parecían como los de un 25 tigre.

— ¿ Qué haces, criminal ? — grité.

Por fortuna había llegado en el momento oportuno, otro segundo y Morato habría matado al pobre soldado

Había sido una disputa de juego. El orden quedó restablecido por aquel esfuerzo nervioso para imponerme a un hombre ciego de ira.

Durante el resto del día no se oyó nada.

II

A las doce de la noche el cabo vino a decirme que iba a hacer el relevo de los centinelas en la cárcel. Media hora después vino a decirme que se había verificado.

— ¿ Y Morato ? — le pregunté.

— Acaba de entrar de centinela aquí en la galería, delante de su cuarto de usted.

En un momento vino a mi imaginación la escena de la tarde. Vi a aquel hombre humillado ante mí y . . . tuve miedo. La puerta de la habitación donde yo debía pasar la noche tenía un óvalo de cristal al través del cual se veía la galería, y también el diván que invitaba al sueño.

Pero, ¿ cómo podía dormir ?

Los pasos del centinela sonaban por la galería, su sombra reflejaba sobre el muro su forma de monstruo.

Y Morato continuaba paseando lentamente, el fusil entre sus manos de gigante, la vista fija en el suelo. Cuando llegaba a mi puerta levantaba su cabeza enorme y miraba por el óvalo del cristal. Repitió aquella operación varias veces, lo que me heló la sangre.

Estaba muy convencido de que aquel hombre me mataría, de que estaba preparando, poco a poco, su plan, de que aguardaba el momento oportuno para abrir la puerta y disparar sobre
5 mí. Ni una sola vez dejaba de mirarme, al pasar

delante de la puerta. Esperaba seguramente la ocasión de encontrarme descuidado y caer sobre mí con toda su brutalidad.

Por fin tuve que decidir hacer algo. Con el
10 mayor disimulo cogí mi revólver para ver si estaba cargado. Luego me eché sobre el diván como dispuesto a dormir. El centinela continuaba su paseo, asomando su cabeza por el cristal de la puerta, cada vez con más curiosidad.
15 Yo fingía dormir, la mano derecha oculta con la culata del revólver, esperé dispuesto a disparar los cinco tiros sobre aquel criminal, si entraba en mi habitación.

Pasaron dos minutos, tres, quizá cinco, que a

mí me parecieron horas, cuando los pasos del
centinela no resonaron más.

Pensé que aquél era el momento fatal y decidí
vender cara mi vida.

Pero el silencio continuaba; la luz del farolillo 5
que alumbraba el exterior se apagó gradualmente.
Salté del diván, nervioso, temblando de miedo
e impulsado por un sentimiento de curiosidad
y de espanto.

Sin hacer ruido, llegué hasta la puerta con- 10
teniendo la respiración y esperé: el mismo silencio.

Abrí entonces la puerta suavemente y asomé
la cabeza sin ver a nadie; animado por esto,
puse el pie fuera de mi cuarto y eché una mirada
por la galería. 15

¿ Y Morato ? Allá en la penumbra, sentado en
el suelo, en un rincón, con el fusil entre las piernas,
roncaba como un bendito. Y entonces comprendí
que Morato no tenía odio contra mí, sino mucho
sueño. 20

CUESTIONARIO

I. 1. ¿ Cómo empezó el cuento el general ?
2. ¿ Dónde había de quedarse con la tropa ? 3. ¿ Qué
tal era la galería subterránea ? 4. ¿ Por qué era un
martirio la guardia para el general ? 5. ¿ Quién
entró en el cuarto del general ? 6. ¿ Qué dijo ?
7. ¿ Adónde fué el general ? 8. ¿ Qué vió en el
centro del cuarto ? 9. ¿ Qué gritó ? 10. ¿ Cuándo
había llegado por fortuna ?

II. 1. ¿ A qué hora se presentó el cabo ?   2. ¿ Qué
iba a hacer ?   3. ¿ Dónde acababa de entrar de centinela Morato ?   4. ¿ Qué clase de puerta tenía la
habitación del oficial ?   5. ¿ Qué se podía ver ?
6. Cuando llegaba Morato a la puerta, ¿ qué hacía ?
7. ¿ De qué estaba convencido el general ?   8. ¿ Por
qué cogió su revólver ?   9. ¿ Qué iba a hacer ?
10. Cuando salió de su cuarto, ¿ qué vió en el rincón ?
11. ¿ Qué tenía el pobre Morato ?

JUANÓN

— ¿ Vienes, Juanón ?
— No. Me quedo.
Nevaba mucho. Un grupo de cazadores, compuesto de todos los hombres sanos del pueblo, se
5 dirigía al monte. Todos los que podían empuñar
una escopeta iban por el camino real y se reían
de la respuesta de Juanón.   ¡ Qué cobarde !
Cuando era necesario luchar con el oso y vencerle
para la tranquilidad de la aldea, el hombre más
10 fuerte se quedaba en el pueblo como una mujer.
La cosa ya duraba quince días. Primero, la
fiera mató a algunas ovejas en el monte; luego se
atrevió a matar la vaca rubia del alcalde. Después bajó a las puertas de la aldea, y una noche
15 con el peso de su cuerpo deshizo la puerta de un
aprisco y mató varias ovejas.
Por esta razón, todos los vecinos, bien armados,
salieron aquella mañana de domingo para el

monte. Iban a buscar al oso en
su cubil y no volver al pueblo sin
traerlo muerto. Y Juanón, el valiente,
el cazador de fieras, no quiso ir con
ellos . . . Los niños, las viejas y las mozas le 5
llamaron cobarde. Pero . . . era muy testarudo y
quería ser dejado en paz.

Cuando el grupo pasó el puente de la aldea,
Juanón se sentó en el poyo de la taberna en la
calle. Parecía alegrarse de ser enemigo de todo 10
el pueblo. Se reía con su boca grande, armada
de enormes dientes, pensando que los otros iban
a luchar cara a cara con el oso.

Los odiaba a todos porque eran cobardes.
¡ Cincuenta hombres armados de fusiles contra 15
un animal ! Quería subir al monte y ponerse del
lado de la fiera para luchar contra todos. Y le
llamaban cobarde a él, que, para probar sus
fuerzas, había peleado mil veces con los lobos.

— Rosa — exclamó.
20

Y Rosa, que salía de casa para ir a la fuente,

99

ni siquiera le miró.   La chica le volvió la espalda
con soberano desprecio.   Sin duda su madre le
había prohibido hablar al cobarde de la aldea,
quien no merecía el cariño de nadie.   Semejante
5 desprecio Juanón no lo pudo sufrir.   Se mordió
los labios de coraje.

— Rosa . . . — llamó otra vez.

Pero la chica, haciendo una mueca, le dijo:

— ¡ Cobarde !   Tienes miedo al oso.

10   El gigante se levantó, se recogió las mangas
de la camisa y miró a todos lados.   Buscaba
alguien a quien herir, a quien morder, a quien
matar de un puñetazo.

La chica se asustó cuando vió su cara de ira y
15 principió a llorar.   Juanón, de un brinco, la
cogió y la besó en los ojos.

Pero la chica volvió a repetir:

— ¡ Cobarde !   Tienes miedo al oso.

La dejó en el suelo, y otra vez buscó con la
20 mirada a quien reñir.

De pronto hubo un prolongado grito.   Una
mujer, desde una ventana, señalaba un punto
de la calle . . .

— ¡ El oso !   ¡ El oso !

25   De un salto, Juanón se puso al lado de la
niña, la cogió en brazos y la llevó diez metros
atrás de él.   Inmediatamente volvió adonde estaba.   Avanzó hacia el oso que, buscando pelea,
se había levantado sobre las patas.

El hombre y la bestia se juntaron en un abrazo
salvaje.   El oso clavó las garras en la espalda
de Juanón.   El gigante echó sus manos grandes
al cuello de la fiera.

5 La lucha duró un minuto, dos, cinco . . .   El
oso abría la boca junto a la cara de su contrario.
El hombre peleaba, jadeaba, los pies fijos en el
suelo, la espalda ensangrentada ya por el terrible
abrazo.   Desde las ventanas las mujeres gritaban
10 llenas de espanto.   La chica, aterrada por la
escena, lloraba furiosamente.

Un momento, la fiera y Juanón cayeron, pero
pronto se levantaron.   Al fin, cayeron al suelo
como un montón de carne.   Así permanecieron
15 otro minuto sin soltarse.   El hombre logró
desasirse, mientras la fiera se revolcaba en la
nieve, casi asfixiada.

Juanón cogió una piedra enorme, volvió al
oso y le aplastó el cráneo.   Después se dirigió
20 a Rosa, que seguía llorando, y dulcemente, casi
sin abrir la boca para no hacerla ver la ola de
sangre que le subía del pecho, dijo:

— Llámame cobarde ahora . . ., llámame cobarde . . .

25 Dió un suspiro, abrió desmesuradamente los
ojos, extendió los brazos y cayó junto al oso . . .

Y en el monte los cazadores buscaban al oso
con todas las precauciones.

CUESTIONARIO

1. ¿Qué preguntaron los cazadores a Juanón?
2. ¿Qué contestó?   3. ¿Adónde se dirigían los cazadores?   4. ¿Cuántos días duraba la cosa?
5. ¿Qué mató la fiera en el monte?   6. Luego, ¿qué se atrevió a hacer?   7. ¿Cuándo salieron los vecinos para el monte?   8. ¿Quién era el valiente, el cazador de fieras?   9. ¿Dónde se sentó Juanón?
10. ¿En qué pensaba?   11. ¿Por qué odiaba a todos?   12. ¿De dónde salía Rosa?   13. ¿Adónde iba?   14. ¿A quién le volvió la espalda?   15. ¿Qué dijo a Juanón?   16. ¿Qué se oyó de pronto?
17. ¿Por qué buscaba pelea el oso?   18. ¿Qué hizo Juanón con la piedra?   19. ¿Por qué no era Juanón cobarde?

EL LEGADO DEL MORO

I

Antiguamente había en Granada hombres que vendían agua a las amas de casa. Estos aguadores transportaban el agua a la ciudad de un pozo situado en una fortaleza en el interior de la Alhambra. 5

Entre los aguadores de aquel tiempo había un tal Pedro Gil, hombre muy honrado. Como Pedro era pobre, llevaba el agua a cuestas, y así ganaba muy poco. Cuando con su economía pudo ahorrar lo suficiente, se compró un asno. 10
Luego se casó con una mujer del pueblo.

Al cabo de algunos años Pedro Gil fué padre de tres hijos. A pesar de su trabajo, nunca ganaba bastante para su familia. La mujer del aguador no era hacendosa. No cuidaba de sus hijos ni manejaba bien su casa. Prefería chismear con las vecinas y gastar mucho dinero para vestir bien.

El pobre aguador sufría con paciencia. Pensaba siempre en ganar más para mantener a sus hijos. Una noche calurosa, cuando todos los aguadores se habían retirado, Pedro pensó que haciendo otro viaje, mejoraría la comida del día siguiente. Así fué al pozo de la Alhambra.

Cuando llegó allí, el lugar estaba desierto. Sólo vió a un extranjero vestido con traje de moro, sentado en un banco de piedra. El moro le llamó para decirle que estaba débil y enfermo. También le dijo que si le ayudaba le pagaría bien. El pobre aguador accedió a la súplica del moro, le ayudó a subir sobre el asno y lo sostuvo durante el camino.

Cuando llegaron a la ciudad, preguntó al moro adónde quería ir. Éste le contestó que no tenía ni casa ni amigos en la ciudad. Preguntó a Gil si podía pasar la noche en su casa, añadiendo que le pagaría bien por la molestia. El aguador accedió otra vez a la súplica del moro y le condujo a su propia casa. Los chicos, al ver al moro, huyeron asustados y fueron a esconderse. La

mujer de Pedro Gil se irritó sobremanera. Pero
como el moro estaba muy enfermo, la mujer del
aguador le dió una estera para acostarse en
ella. Poco después, el extranjero fué acometido
de horribles convulsiones. Con voz débil llamó 5
al aguador y le dijo:

— Voy a morir pronto, y quiero recompensar
tu caridad; toma esta cajita...

No pudo acabar la frase porque tuvo otra
convulsión y expiró. 10

La mujer del aguador se puso furiosa, porque
la muerte del moro los hacía sospechosos a la
justicia. Su marido para calmarla le dijo que
como nadie había visto entrar al moro, lo sacaría
de su casa y lo enterraría en el monte. 15

II

En la casa vecina vivía un barbero curioso y
muy malo. Había visto entrar al moro en la
casa del aguador y había oído los gritos de la

mujer. Más tarde vió por el ojo de la cerradura salir al aguador con el asno cargado con un bulto sospechoso. El barbero pensó que su vecino había asesinado y robado al moro. Le siguió al monte y vió a Pedro excavar un hoyo y enterrar el cadáver.

Al día siguiente el barbero fué a casa del alcalde para afeitarle. Y mientras lo hacía, le relató todo lo que había visto.

Aquel mismo día Pedro Gil fué llamado al palacio ante el alcalde. Éste le dijo que estaba enterado del crimen que había cometido, pero que callaría, si le daba el dinero que había robado.

Pedro, muy asustado, relató lo que había ocurrido. El alcalde no le creyó y mandó prender a su mujer, la cual dijo lo mismo que su marido. Como no había ni robo ni asesinato, el alcalde soltó al aguador y a su mujer, quedándose con el asno en pago de las costas del proceso.

El pobre aguador fué obligado nuevamente a transportar a cuestas el agua del pozo a la ciudad.

Cierto día examinó la herencia del moro. Pero como sólo halló en la cajita un cabo de vela y un papel escrito en árabe, la dejó en un rincón. Otro día, sin embargo, tomó el papel y lo dió a leer a un moro de Tánger que vendía perfumes. Éste leyó con atención el papel y dijo a Pedro que contenía una fórmula para recobrar un tesoro encantado. El aguador no dió gran importancia a tales palabras y se marchó dejando el papel al

moro. Aquel mismo día, mientras sacaba agua
del pozo, oyó relatar que había muchos tesoros
escondidos en el palacio.

Impresionado por tales relatos, el aguador fué
a la tienda del moro y le preguntó si quería ir a 5
recobrar el tesoro con él. El moro contestó que el
papel no valía mucho, pues debía ser leído a media
noche y a la luz de una bujía compuesta de cien
ingredientes. El aguador dijo al moro que él
tenía la bujía en cuestión y los dos decidieron 10
encontrarse poco antes de las doce de aquella
misma noche para intentar la aventura.

A la hora convenida Pedro fué a la casa del
moro con la bujía. Cuando éste la examinó
dijo que era la que se describía en el papel: 15
mientras estaba encendida, se abrían los muros
de cierta cueva, y cuando se apagaba, los muros
se cerraban, y quien estaba en la cueva quedaba
encantado con el tesoro.

A media noche los dos hombres fueron a la 20
Alhambra y pronto llegaron a la cueva. A la
entrada hallaron una escalera, que bajaron llenos
de temor. Al final de la escalera vieron un muro
grueso. Entonces encendieron la bujía y el moro
leyó la fórmula. Se oyó un espantoso ruido 25
subterráneo y se hallaron en la cueva, en que
había un cofre grande con varios jarros llenos
de oro y piedras preciosas. Se llenaron los bol-
sillos, pero teniendo miedo, salieron de la cueva.

Estaban contentos con el resultado de la primera
expedición, y decidieron repetirla en pocos días.
El moro hizo prometer a Pedro no decir nada a
nadie de lo sucedido, ni siquiera a su mujer.

III

Cuando Pedro llegó a su casa halló a su mujer 5
llorando porque no había nada qué comer. El
buen hombre, compadecido, le dió una moneda
de oro. Al verla, empezó a gritar, creyendo que
su marido había cometido algún crimen. Para
tranquilizarla tuvo que explicarle lo sucedido. 10
Al oír el relato de su marido, sintió gran alegría.

Un día, hablando a sus vecinas, les dijo que
pronto iban a comprar buenos muebles, elegantes
trajes, y que su marido iba a dejar el oficio de
aguador. Otro día quiso probarse las joyas que 15
le había traído su marido y se asomó a la ventana
para ver el efecto que producirían en los transeuntes. El primero que la vió fué el barbero.
Al ver aquellos adornos salió como el rayo para
la casa del alcalde. 20

Como consecuencia, el alguacil fué a prender
al aguador. Esta vez le dijo el alcalde que, como
había mentido anteriormente, ahora o debía darle
todo lo que había robado o morir ahorcado.

El aguador cayó a los pies del alcalde y confesó 25
lo que había ocurrido. El alcalde hizo prender
también al moro.

El moro repitió lo que había dicho el aguador,
pero el alcalde fingió no creer nada. Y el moro,
para convencerle, le dijo que, si quería ir con ellos,
le daría oportunidad de sacar parte del tesoro.

5   El alcalde aceptó la oferta, pero iba a encarcelar al aguador y al moro, cuando hubieron
revelado el modo de entrar en la cueva.

IV

Llegó la noche. El alcalde, el alguacil, el
barbero, el moro y Pedro Gil con su asno fueron
10 a la Alhambra. El moro leyó la fórmula y la
tierra se abrió con el mismo ruido subterráneo.
El alcalde, el alguacil y el barbero temblaron;
el aguador y el moro entraron en la cueva. De
allí sacaron todos los jarros llenos de joyas y de
15 monedas.

La alegría del alcalde fué grande al ver todas
aquellas joyas. El moro dijo que, por aquel
día, debían estar contentos, y que volverían
otro día para sacar el cofre lleno de brillantes y
20 perlas. Eso no agradó al alcalde, pues quería sacar
el cofre aquel mismo día. Cuando el moro y
Pedro no quisieron entrar la segunda vez, el
alcalde, el alguacil y el barbero penetraron en
la cueva para sacar el riquísimo cofre.

25   Al verlos dentro de la cueva, el moro de pronto
apagó la bujía de un soplo. La tierra se cerró
dejando encerrados a los tres hombres.

— ¿ Qué ha hecho usted ? — exclamó el aguador.

— ¡ El alcalde y sus dos compañeros quedan sepultados en la cueva !

Al decir estas palabras, tiró lo que quedaba de la vela. Entonces los dos se dividieron lo que habían sacado y volvieron a sus casas, el aguador en compañía de su asno que recobró con la mayor alegría.

Luego el moro se fué a África y el aguador al Portugal con su familia. Allí fué Pedro Gil un personaje de importancia, vestía como un caballero y todos le llamaban don Pedro Gil.

El alcalde, el alguacil y el barbero se quedaron encantados en la cueva. Allí quedarán hasta el fin del mundo.

CUESTIONARIO

I. 1. ¿A quiénes vendían agua los aguadores? 2. ¿De dónde transportaban el agua? 3. ¿Dónde estaba situado el pozo? 4. ¿Quién era Pedro Gil? 5. ¿Por qué llevaba el agua a cuestas? 6. ¿Cuándo se compró un asno? 7. ¿Qué tal era la mujer de Pedro? 8. ¿En qué pensaba siempre el aguador? 9. ¿Adónde fué cierta noche calurosa? 10. ¿Qué le dijo el moro? 11. ¿Por qué accedió el aguador a la súplica del moro? 12. ¿Qué le preguntó al llegar a la ciudad? 13. ¿Dónde quería pasar la noche el moro? 14. ¿Qué hicieron los chicos del aguador? 15. ¿Qué hizo su mujer? 16. ¿Cómo estaba el moro? 17. ¿Qué le dijo al aguador? 18. ¿Por qué se puso furiosa la mujer del aguador?

II. 1. ¿Quién vivía en la casa vecina? 2. ¿A quién había visto entrar? 3. ¿Qué vió por el ojo de la cerradura? 4. ¿Qué vió cuando le siguió? 5. ¿Adónde fué al día siguiente? 6. ¿Qué dijo al alcalde? 7. ¿Quién fué llamado al palacio? 8. ¿De qué estaba enterado el alcalde? 9. ¿Qué haría si recibía el dinero robado? 10. ¿Qué relató el aguador al alcalde? 11. ¿Qué dijo la mujer del aguador? 12. ¿Por qué soltó el alcalde al aguador y a su mujer? 13. ¿Por qué se quedó con el asno? 14. ¿Qué examinó el aguador cierto día? 15. ¿Qué halló en la cajita? 16. ¿A quién dió a leer el papel? 17. ¿Qué fórmula contenía? 18. ¿Qué preguntó al moro? 19. ¿Quién tenía la bujía? 20. ¿Adónde fueron los dos hombres a media noche? 21. ¿Qué se oyó cuando el moro leyó la fórmula ? 22. ¿ Qué había en la cueva ? 23. ¿ Por qué salieron de allí ? 24. ¿ Por qué quedaron contentos con el resultado ?

III. 1. ¿ Por qué lloraba la mujer del aguador ? 2. ¿ Qué le dió el buen hombre ? 3. ¿ Para qué tuvo que explicarle lo sucedido ? 4. ¿ Qué dijo la mujer a sus vecinas? 5. ¿ Qué quiso probarse cierto día ? 6. ¿ Quién fué el primero que la vió ? 7. ¿ Adónde fué como el rayo ? 8. ¿ Qué dijo el alcalde a Pedro Gil ? 9. ¿ Qué le confesó el aguador ? 10. ¿ Qué dijo el moro al alcalde ? 11. ¿ Aceptó el alcalde la oferta ? 12. ¿ Qué iba a hacer el alcalde ?

IV. 1. ¿ Quiénes fueron a la Alhambra aquella noche ? 2. ¿ Quiénes entraron en la cueva ? 3. ¿ Qué sacaron ? 4. ¿ Quiénes entraron para sacar el cofre ? 5. Al verlos adentro, ¿ qué hizo el moro ? 6. ¿ Quiénes quedaron sepultados en la cueva ? 7. ¿ Adónde fué el moro ? 8. ¿ Adónde fué Pedro Gil ? 9. ¿ Cómo le llamaban todos ?

EJERCICIOS

Ejercicio I
(Véase p. 3)

A

EJEMPLO: Es —— noche de invierno.
Es **una** noche de invierno.

1. Dos hermanos están sentados a —— mesa.
2. —— niña escucha a sus hermanos.
3. Ella también quiere ganarse —— dulces.
4. —— hermano se gana —— dulce.
5. —— cuchillos están sobre —— mesa.

B

EJEMPLO: —— hermano: un hermano, el hermano

—— noche	—— dulces	—— cuentos
—— hermanos	—— premio	—— respuesta
—— lección	—— niña	—— beso
—— cuchillo	—— mesa	—— años

Ejercicio II
(Véase p. 4)

A

EJEMPLO: —— marineros no pueden luchar con —— olas.
Los marineros no pueden luchar con **las** olas.

1. —— hombre ve a —— náufragos luchar con ——
aguas.

115

2. —— héroe recoge a —— hombres.

3. —— buque va a estrellarse contra —— rocas.

4. Así salva a —— personas del buque.

B

EJEMPLO: Los —— van a estrellarse contra las ——.
Los **buques** van a estrellarse contra las **rocas**.

1. Los —— se lanzan a las ——.

2. El —— ayuda a los ——.

3. El —— con el —— desaparece entre las ——.

4. Trae a los —— a la ——.

Ejercicio III

(Véase p. 6)

A

EJEMPLO: —— director: del director, al director
—— casa: de la casa, a la casa

—— empleado	—— queja	—— estación
—— carro	—— calle	—— azúcar
—— favor	—— joven	—— despacho

B

EJEMPLO: Son los carros —— casa Aguirre.
Son los carros **de la** casa Aguirre.

Van —— estación.
Van **a la** estación.

1. El empleado está en el despacho —— casa comercial. 2. Presenta una queja —— director. 3. No averigua la causa —— ruido. 4. Los carros van —— estación Central. 5. Los sacos —— carro llevan

azúcar.   6. El empleado va —— despacho ——:
director.   7. La vacante —— empleado Molina es
para Pérez.

Ejercicio IV
(*Véase p. 8*)

A

EJEMPLO: *Sg.* el perro: *Pl.* los   perros
un bote: unos botes

un pasajero   el viaje   un animal
al amigo   de la madre   de la niña
del amo   al padre   a la hija

B

EJEMPLO: *Sg.* Es el vapor.
Pl. Son los vapores.

1. Es el océano.   2. Es un amigo.   3. Es el perro.
4. Es el amo.   5. Es el padre de la niña.   6. Es la
hija del amo.   7. Es un pasajero del vapor.   8. Es
un animal.   9. Es la madre de una niña.   10. El
bote llega al vapor.   11. Es el amigo del pasajero.

Ejercicio V
(*Véase p. 10*)

A

EJEMPLO: (*a*)   Saca —— libro.
Saca un libro.
(*the*) Él ha oído —— caballero.
Él ha oído al caballero.

1. (*the*) Deseo ver —— libros.
2. (*the*) Franklin ha visto —— caballero.

3. (*a*)   Examina —— libro del estante.
4. (*the*) El dependiente espera —— amo.
5. (*the*) Se lleva —— libro.
6. (*a*)   Busca —— estante.

B
EJEMPLO: Veo —— hombre.
Veo **al** hombre.

1. Ha visto —— hombre y —— dependiente.
2. Busca —— libros, —— dólares, —— amo, ——
Franklin.
3. Muestra —— mano, —— libro, —— dólar, ——
caballero.
4. Necesito —— hombre, —— dependiente, ——
mostrador, —— imprenta.
5. Espera —— minuto, —— dependiente, ——
Franklin.

Ejercicio VI
(*Véase p. 12*)

A
EJEMPLO: bueno: bueno, buena, buenos, buenas.

mismo	malo	hermoso
íntimo	viejo	cierto
seco	pequeño	último

B
EJEMPLO: (*pequeño*) La puerta es   ——.
La puerta es **pequeña**.

1. (*íntimo*) Ellos son amigos ——.   2. (*viejo*) El
tío Pedro no es ——.   3. (*hermoso*) Los burros son
——.   4. (*bueno*) —— días, tío Pedro.   5. (*cierto*)
—— día Tonín va a Córdoba.   6. (*seco*) Es una carga

de leña ——.   7. (*mismo*) No volverá el —— día.
8. (*pequeño*) Quiere hacerme este favor ——.

Ejercicio VII
(*Véase p. 14*)
A
EJEMPLO: (*ser*) Rubens —— un célebre pintor.
Rubens **es** un célebre pintor.

1. (*ser*) El cuadro —— magnífico.   2. (*ser*) Los
cuadros —— hermosos.   3. (*ser*) El prior —— el
autor del cuadro.   4. (*ser*) ¿ Quiénes —— los discípulos ?   5. (*ser*) Yo —— el autor, contesta él.
6. (*ser*) Los cuadros —— obras maestras.

B
EJEMPLO: *Ser* discípulo: **Soy discípulo, usted es ...**
1. *Ser* artista.   2. No *ser* célebre.

C
EJEMPLO: (1*st sg.*)—— el prior.
Soy el prior.

1. (3*d pl.*) —— célebres artistas.   2. (1*st pl.*) ——
discípulos.   3. (2*d sg.*) —— el prior.   4. El cuadro
—— una obra maestra.   5. El prior —— el autor del
cuadro.   6. Rubens —— un célebre artista.

Ejercicio VIII
(*Véase p. 16*)
A
EJEMPLO: *Sg.* Estoy   equivocado.
Pl. Estamos equivocados.

1. La colina está lejos de aquí.   2. Aquí está la
torre.   3. Un hombre está en una colina.   4. ¿ Quién

está cerca del árbol?   5. La torre está lejos de la colina.   6. Allí está el campo.   7. Aquí está el pastor.

B

EJEMPLO: *Estar* aquí: Estoy aquí, usted está...

1. *Estar* equivocado.   2. *Estar* lejos de la torre.

C

EJEMPLO: (1*st pl.*) —— cerca del árbol.
Estamos cerca del árbol.

1. (3*d pl.*) —— equivocados.   2. (2*d sg.*) ¿ —— equivocado?   3. (1*st sg.*) —— cerca del campanario. 4. (3*d pl.*) —— cerca de la torre.   5. Usted —— cerca del campo.   6. (3*d pl.*) ¿ Dónde —— los tres hombres?   7. ¿ —— usted en la torre?

Ejercicio IX

(*Véase p. 18*)

A

¿ Ser o estar?

1. El caballero —— sentado.   2. El caballero no —— español.   3. La señorita —— elegante.   4. La señora no —— triste.   5. El caballero —— agente de policía.   6. Los dos no —— en Inglaterra.   7. El agente de policía no —— español.   8. El caballero y la señora —— cerca de la puerta.   9. ¿ —— usted cerca de la puerta?   10. No, yo —— cerca de la ventana.   11. Yo —— un caballero.   12. ¿ Quién —— sentado?

B

EJEMPLO: *Ser* alumno: Soy alumno, usted es ...

1. *Ser* hombre. 2. *Ser* español. 3. *Ser* elegante.
4. *Estar* en el coche. 5. *Estar* sentado. 6. *Estar* triste.

C

¿ Ser o estar ?

1. (1*st sg.*) —— inglés. 2. (1*st pl.*) —— españoles.
3. ¿ —— usted agente de policía ? 4. No, señor, (1*st sg.*)——alumno. 5. La señora——triste. 6. Usted no —— un caballero. 7. Usted —— una señora. 8. La señora —— elegante. 9. El caballero y la señora —— en el coche. 10. Los dos —— sentados cerca de la puerta. 11. (1*st pl.*) No —— españoles. 12. (3*d pl.*) No —— en Inglaterra.

Ejercicio X

(Véase p. 20)

A

EJEMPLO: (*hablar*) Él —— a la viejecita.
Él habla a la viejecita.

1. (*preguntar*) Ellos —— a la viejecita. 2. (*llegar*) Dos sabios —— a una aldea. 3. (*llegar*) Nosotros —— a España. 4. (*entrar*) Usted —— en su casa. 5. (*hablar*) Ellos —— con la viejecita. 6. (*desear*) Nosotros —— dormir afuera. 7. (*contestar*) Ustedes ——. 8. (*pasar*) Los sabios —— la noche afuera. 9. (*invitar*) La viejecita —— a los dos sabios. 10. (*entrar*) Ellos —— en su casa.

B

EJEMPLO: Él habla a la viejecita.   (*forma afirmativa*)
Él no habla a la viejecita.   (*forma negativa*)
¿ Habla él a la viejecita ?   (*forma interrogativa*)
¿ No habla él a la viejecita ?   (*forma dubitativa*)

Lo mismo con las oraciones de A.

C

EJEMPLO: *Sg.* Yo   contesto.
Pl. Nosotros contestamos.

1. Yo entro.   2. Usted habla.   3. ¿ Entra usted en el patio ?   4. Ella nota esto.   5. El sabio no entra.   6. Él camina mucho.   7. Yo deseo hacer un viaje.   8. Usted entra en la casa.   9. ¿ Habla usted ?   10. Yo no camino mucho.

D

TRADUCCIÓN

1. The old lady speaks to the two men.   2. They do not enter the house.   3. They want to spend the night outside.   4. They do not wish to spend the night in the house.   5. The old lady answers: "You can (**pueden**) enter, if you wish."

Ejercicio XI

(*Véase p. 22*)

A

EJEMPLO: Yo aprend- fácilmente.
Yo aprendo fácilmente.

1. Él aprend- fácilmente.   2. El aldeano promet- volver allí.   3. Ustedes no vend- al perro.   4. Si el

artista pregunt-, el campesino respond-.   5. ¿ Aprend-
usted fácilmente ?   6. Ahora lo comprend- todo.
7. Nosotros no promet- volver allí.   8. Él no vend-
al perro.   9. El pintor y el campesino lo comprend-
todo.   10. ¿ Quién aprend- fácilmente ?   11. El
campesino no vend- la tabaquera.   12. ¿ No promet-
ellos volver al estudio ?

B

EJEMPLO: *Pl.* Los perros aprenden fácilmente.
               Sg. El perro aprende fácilmente.

1. Los alumnos comprenden fácilmente.   2. Nosotros preguntamos y ustedes responden.   3. Ellos
prometen callar.   4. Los pintores pintan.   5. Ustedes deben pintar los perros.   6. Ellos callan unos
instantes y responden.   7. Debemos mirar la obra.
8. Ellas no deben responder.   9. Ustedes prometen
volver al estudio.   10. Nosotros debemos ver al
artista.

C

EJEMPLO: *Aprender* fácilmente:
               Aprendo fácilmente, usted aprende . . .

1. *Prometer* volver.   2. *Vender* al perro.
3. *Comprender* fácilmente.   4. *Callar* unos instantes.

D

TRADUCCIÓN

1. A farmer goes (va) to the studio of an artist.
2. The painter must paint a dog.   3. The artist
keeps quiet a few moments, but he promises to paint
the dog.   4. The dog is an extraordinary animal.

5. The farmer does not sell the dog to the painter. 6. Does a dog learn easily ? 7. He must see the picture. 8. You promise to return to the painter.

Ejercicio XII
(Véase p. 25)

A

EJEMPLO: *(vivir)* Yo —— aquí.
Yo vivo aquí.

1. *(vivir)* Él —— aquí. 2. *(subir)* ¿ —— usted a su cuarto ? 3. *(abrir)* Ellos no —— la puerta. 4. *(vivir)* Los dos hombres —— allí. 5. *(prometer)* Yo no —— subir. 6. *(ocurrir)* Eso —— todas las noches. 7. *(abrir)* Ustedes —— la puerta. 8. *(desear)* Ellos —— conocer al joven. 9. *(subir)* ¿ —— ustedes al cuarto ? 10. *(ser)* El hombre —— joven. 11. *(subir)* ¿ —— él al quinto piso ? 12. *(estar)* Usted y yo —— bien. 13. *(abrir)* Usted —— la puerta. 14. *(abrir)* El criado —— la puerta.

B

EJEMPLO: pregunto: preguntar responde: responder
suben: subir

abrimos	estoy	somos	entra
prometo	sube	encendemos	llega
vivo	ocurre	responden	pregunta

C

TRADUCCIÓN

1. I live on the fourth floor. 2. An old man lives under my bedroom. 3. I arrive home (a casa) very late. 4. I go up to the fourth floor. 5. The serv-

ant opens the door and I enter. 6. I throw one shoe on the (al) floor, then the other. 7. This happens every night. 8. When you go up to your room, who opens the door? 9. Do you live on the fourth floor?

Ejercicio XIII
(Véase p. 28)

A

EJEMPLO: *(Este)* —— hombres son pobres.

Estos hombres son pobres.

1. *(Este)* Hay cien duros en —— carteras. 2. *(Este)* —— dinero no es suyo. 3. *(Ese)* —— aldeanos no reciben la recompensa. 4. *(Ese)* —— comerciantes son ricos. 5. *(Ese)* —— cien duros son los suyos. 6. *(Este)* Los hombres no gastan —— dinero. 7. *(Este)* —— aldeanos fueron al monte. 8. *(Ese)* El aldeano no guarda —— duros. 9. *(Este)* Vende la carga de leña por —— calles. 10. *(Aquel)* —— carteras no son del comerciante.

B

EJEMPLO:

—— aldeano: 1. este aldeano, ese aldeano, aquel aldeano

2. éste   , ése   , aquél

cuartos	calles	comerciantes
dinero	duros	hombre
leña	ladrón	carteras

C

EJEMPLO: Vendo *este* leña y no *aquél*.

Vendo **ésta**   y no **aquélla**.

1. Encontré *este* cartera y no *aquel*. 2. *Éste* es mi cartera, *ese* es la suya. 3. *Éste* son los duros que

encontré.   4. *Este* es el comerciante, *aquel* es el aldeano.   5. *Este* comerciantes son ricos, *aquel* son pobres.   6. Compro *este* carga de leña y no *aquel*. 7. Encontré el dinero en *este* calle y no en *aquel*. 8. En *ese* cartera hay cien duros, en *este* hay ciento treinta.   9. *Este* es mi dinero, *ese* es el del comerciante.

D

Traducción

1. This farmer wishes to sell that load of wood. 2. These men are rich.   3. He sells this load and not that.   4. These farmers are poor, those merchants are rich.   5. In these wallets there are (**hay**) one hundred dollars, in those there are two hundred dollars, in those three there are one hundred and thirty. 6. Those men are farmers, these are merchants. 7. These men are the sons of this farmer.   8. This man steals this wallet and not that.

Ejercicio XIV

(Véase p. 30)

A

Ejemplo: *my* bolsa: mi bolsa

my cartera	*his* puerta	*our* amigos
their tienda	*your* hijos	*her* libros
his piernas	*their* espaldas	*our* limosna
his manos	*my* ojos	*your* palabras

B

EJEMPLO:

    Entra en   ——   tienda.

    Entra en mi (tu, su, nuestra, vuestra, su) tienda.

1. Entran en —— casa.   2. —— amigo vive en Segovia.   3. —— amigos son pobres.   4. Abre —— puerta.   5. —— hijos son ricos.   6. —— bolsa es pequeña.   7. Veo a —— hijo.

C

EJEMPLO: *Your* hijo es rico, *mine* es pobre.

               Su hijo es rico, el mío es pobre.

1. *Your* hija es rica, *mine* es pobre.   2. *Our* amigos viven en Segovia, *yours* viven en Madrid.   3. El comerciante está delante de *his* tienda, no está delante de *mine*.   4. *My* bolsa es pequeña, *his* es grande. 5. *Our* hijos dan limosnas a los pobres, *yours* no. 6. Don Tomás pedía limosna a *his* amigos y a *ours*. 7. *His* padre y *yours* dan limosnas a don Tomás. 8. ¿Es esta tienda *his* o *yours?*   9. *My* ojos son pequeños, *hers* son grandes.

D

TRADUCCIÓN

1. Their friends and ours are not rich.   2. Our store and theirs are in Segovia.   3. He begs (**pide**) alms of her friends and yours.   4. The widow and her sons live here.   5. Their house and ours are in Segovia. 6. Is this your house or theirs?   7. Don Tomás sees the merchant in his store, not in ours.   8. Her sons work for their mother, not for ours.

Ejercicio XV

(Véase p. 32)

A

EJEMPLO: Él —— espera.

Él me (te, le, la, nos, os, los, las) espera.

1. Ellos —— esperan. 2. El comprador —— pregunta. 3. El tío Juan —— vende la vaca. 4. La vaca —— da leche. 5. No —— halla.

B

EJEMPLO: Hablo *al comprador:* 1. Le hablo.
2. Deseo hablarle.

1. Habla *al comerciante.* 2. Compro *la vaca.* 3. Vendo *los animales.* 4. Contesta *a los compradores.* 5. Vendemos *las vacas.* 6. Sacamos *el dinero.* 7. Mira *los perros.* 8. Llama *a su mujer.* 9. Habla *al tío Juan.* 10. Da cien duros *al comprador.* 11. El hombre no compra *las cargas de leña.*

C

TRADUCCIÓN

1. He sells us the cow. 2. He calls me because he wishes to sell me the cow. 3. I speak to him and he speaks to me. 4. We give them the money. 5. We do not buy cows, we sell them. 6. They ask us if we are speaking to them. 7. We do not answer them when they ask us. 8. We take out our money, but we do not give it to uncle John. 9. He gives the hundred dollars to us, he does not give them to his wife. 10. She wishes to speak to me. 11. She

answers me when I call her. 12. When they call us we answer them.

Ejercicio XVI

(Véase p. 35)

A

EJEMPLO: *(levantarse)* Joaquín ——.

Joaquín se levanta.

Verbos:	*levantarse*	get up	*meterse*	place oneself
	apresurarse	hurry	*cubrirse*	put one's hat on
	acercarse	approach	*prepararse*	get ready
	llamarse	be called	*pasearse*	take a walk

1. *(levantarse)* Nosotros ——. 2. *(levantarse)* Usted ——. 3. *(llamarse)* El muchacho —— José. 4. *(llamarse)* ¿Quién —— Pedro? 5. *(apresurarse)* Nosotros —— para ir al colegio. 6. *(levantarse)* Yo —— tarde. 7. *(acercarse)* Pedro —— a José. 8. *(cubrirse)* Los muchachos ——. 9. *(meterse)* Usted —— delante de mí. 10. *(pasearse)* Ellos —— por el patio. 11. *(apresurarse)* Yo —— para ir al mercado. 12. *(levantarse)* Los espectadores —— para ver. 13. *(acercarse)* Yo —— al colegio. 14. *(meterse)* Ellos no desean —— aquí. 15. *(llamarse)* ¿Quién —— Pedro? 16. *cubrirse)* Ellos no ——.

B

EJEMPLO: *Prepararse* para ir al colegio:

Me preparo para ir al colegio;

usted se prepara para ir . . .

1. *Cubrirse.* 2. *Meterse* aquí.
3. No *levantarse* tarde. 4. *Pasearse* por el patio.
5. *Apresurarse* para ir allí.

C

EJEMPLO: El premio es para ——.
El premio es para **mí** (**ti, él, ella, nosotros,
vosotros, ellos, ellas**).

1. Los libros son para ——. 2. Habla contra ——.
3. Pedro viene hacia ——. 4. Cae encima de ——.
5. Lo hace por ——.   6. Está cerca de ——.

D

TRADUCCIÓN

1. My-name-is ——; what (**cómo**) is-your-name
—— ? 2. Is-your-name Joaquín? 3. They-are-
called John and Peter. 4. The five dollars are for
you and [for] me. 5. He is near us and speaks against
us. 6. He-puts-his-hat-on. 7. We-are-taking-a-
walk. 8. They-are-getting-up. 9. We-do-not-get-up
late. 10. They-place-themselves in front of us.

Ejercicio XVII

(Véase p. 41)

A

EJEMPLO: (*llevar*) Pepe —————— el dinero.
Pepe (**lleva**) **ha llevado** el dinero.

1. (*vivir*) Ellos —— aquí. 2. (*descansar*) Usted
—— a la sombra del árbol. 3. (*ser*) La resistencia
—— inútil. 4. (*guardar*) Yo no —— el dinero.
5. (*acceder*) El bandido —— a la súplica. 6. (*recobrar*) Ellos —— el dinero. 7. (*prometer*) Ustedes
—— contestar.

B

Ejemplo: llevar: llevado   comprender: comprendido
vivir: vivido

aprender	subir	deber
guardar	vender	tener
gritar	recibir	ser
prometer	contestar	cumplir

C

Ejemplo: (*We have handed over*) —— el dinero.
Hemos entregado el dinero.

1. (*He has carried-off*) —— la escopeta.   2. (*Have received*) ¿ —— usted los documentos ?   3. (*They have not received*) —— el dinero.   4. (*I have promised*) —— ir al pueblo.   5. (*has handed-over*) El mensajero —— la bolsa.   6. (*has received*) ¿ Quién —— la gorra ?   7. (*We have rested*) —— debajo del árbol. 8. (*has called*) Pepe —— al campesino.   9. (*We have not had*) —— confianza en él.   10. (*have kept*) ¿ No —— usted el dinero ?

D

Traducción

1. Pepe has not rested.   2. He has taken the money to the city.   3. They have rested under that tree.   4. They have closed their (los) eyes.   5. They have seen a farmer.   6. You have not promised him the documents.   7. We have always had confidence in him.   8. Pepe has not kept the gun.   9. They have not lived in this city.   10. We have promised them the money.   11. He has given us the proof. 12. We have not received your message.   13. **Have** you been in that town ?

Ejercicio XVIII

(*Véase* p. 43)

A

EJEMPLO: (*comer*) Yo ——— otra vez.
Yo (**como, he comido**) comía otra vez.

1. (*contestar*) Yo —— otra vez. 2. (*visitar*) Él
—— a sus amigos. 3. (*abrir*) El muchacho —— la
ventana. 4. (*ser*) Nosotros —— buenos amigos.
5. (*vivir*) ¿Dónde —— usted? 6. (*subir*) Yo ——
al cuarto. 7. (*entrar*) Don Juan ——. 8. (*ladrar*)
El perro ——. 9. (*cumplir*) Ustedes —— sus deberes. 10. (*responder*) El portero no ——. 11. (*pasar*) Ella —— el día leyendo. 12. (*preguntar*) ¿A
quién —— usted? 13. (*estar*) Don Juan —— sentado. 14. (*prometer*) ¿—— usted no pegarme?
15. (*ser*) Ésta —— la verdad.

B

EJEMPLO: salimos: salíamos sufre: sufría
paso: pasaba

sale	sufrimos	añadimos	es
tengo	cerramos	repetimos	está
paso	ladra	pregunta	suben
recibo	grita	decimos	respondo

C

EJEMPLO: (*was*) Don Juan —— senador.
Don Juan **era** senador.

1. (*He was*) —— un buen muchacho. 2. (*We
were not*) —— muy bien. 3. (*He used-to-go-out*)
—— solo. 4. (*was-barking*) Una noche el perro ——.

5. (*was*) Un muchacho —— en la casilla del perro.
6. (*were*) El muchacho y los criados no —— buenos amigos.   7. (*He used-to-eat*) —— con el perro.
8. (*used-to-speak*) Don Juan y Perico —— juntos.
9. (*was*) Perico —— lacayo en casa de don Juan.
10. (*was*) Don Juan —— español.   11. (*They used-to-fulfill*) —— sus deberes.   12. (*used-to-envy*) Los criados le ——.   13. (*used-to-suffer*) Perico —— mucho.   14. (*used-to-see*) El muchacho —— al perro todos los días.   15. (*was*) Perico —— un buen muchacho.

D

Traducción

1. A senator had a house and a large garden. 2. He did-not-go-out because he was not very well. 3. His few friends used-to-visit him.   4. One evening don Juan was in the library.   5. The boy and the dog were very good friends.   6. The boy was-called (**llamarse**) Perico, the dog was-called Sultán.   7. The boy used-to-eat with the dog.   8. One night don Juan was seated near the fireplace.   9. He was-reading a book.   10. He always used-to-read there. 11. Perico always asked don Juan how he was. 12. He always used-to-fulfill his duties.   13. The servants envied Perico because don Juan liked (**querer**) him.   14. One night they were-looking for him, but he was in the kennel.   15. From (**desde**) that day the boy and the dog always-went-out together. 16. They often ate in the same room and always slept there.   Perico was happy when he was with Sultán or spoke with don Juan.

Ejercicio XIX

(Véase p. 50)

A

EJEMPLO: En la valija había *100* duros.
En la valija había **cien** duros.

1. En la valija había *150* duros. 2. Los *2* compañeros habían viajado *48* horas. 3. En la casa había *11* personas, *5* perros, *16* fusiles, *13* pistolas, *15* cuchillos y *22* sables. 4. Mi compañero dijo que teníamos *90* o *100* duros. 5. Un duro vale (*is worth*) *5* pesetas o *100* centavos. 6. La casa tenía *2* pisos, *4* paredes, *8* cuartos, *9* puertas y *10* ventanas. 7. Prometió a aquella gente *25* o *50* duros.

B

EJEMPLO: *20* caballos: Veinte caballos

50 caballos	32 dientes	60 palabras
12 casas	43 fusiles	70 días
15 cuchillos	17 pistolas	33 cuartos
18 horas	40 sables	41 compañeros

C

EJEMPLO: (*were-traveling*) Un día nosotros ——.
Un día nosotros **viajábamos**.

1. (*were-traveling*). Un día ellos ——. 2. (*was*) Un muchacho —— mi compañero. 3. (*have arrived*) Los dos —— a una casa. 4. (*are*) Los carboneros —— sentados a la mesa. 5. (*eat*) Ellos —— con nosotros. 6. (*we-were*) Él les dijo que —— ricos. 7. (*used-to-go-up*) Ellos —— al comedor por una

escalera.   8. (*They used-to-live*) —— allí.   9. (*have
eaten*) Yo no —— con ellos.   10. (*enters*) Mi compañero —— en el comedor.

D

TRADUCCIÓN

1. Two men were-traveling together.   2. They had
four horses.   3. They had traveled twelve hours.
4. In the house there were (**había**) ten or eleven charcoal burners.   5. They were-eating and drinking.
6. While we ate and drank, they spoke to us.
7. They wanted to know whether (**si**) we wanted to
go up to the second floor.   8. On the walls there were
twenty pistols, thirty knives, and forty or fifty guns.
9. Eight of the fifteen men used-to-work near there.
10. They worked from fifteen to twenty-five days of
the thirty or thirty-one of the month.

Ejercicio XX

(*Véase p. 54*)

A

EJEMPLO: El abuelo *vivía* con ellos.
El abuelo **vivió** con ellos.

1. Ellos *vivían* allí.   2. *Salíamos* tarde.   3. El
tío Joselito *volvía* a casa.   4. Él *continuaba* durmiendo.
5. Yo *empujaba* la puerta.   6. Todo *era* inútil.
7. ¿ No *tenía* usted vino ?   8. Los dos *temblaban*.
9. Los bandidos *llegaban* allí.   10. Nosotros *comíamos*
allí.

B

EJEMPLO: él vivía: vivió yo preguntaba: pregunté
yo comía: comí

yo salía	ellos comían	él pasaba
Vd. continuaba	Vds. salían	Vd. respondía
él llegaba	nosotros abríamos	ella recibía
yo contestaba	ellos lloraban	yo cumplía

C

EJEMPLO: (*vivir*) La familia —— allí.
La familia (**vive, ha vivido, vivía**) **vivió** allí.

1. (*vivir*) Nosotros no —— allí. 2. (*salir*) El animal —— solo. 3. (*ir*) Yo —— a Ronda. 4. (*llegar*) Él —— a casa. 5. (*comer*) Ellos —— allí. 6. (*contestar*) El viejo —— tristemente. 7. (*pasar*) ¿ Qué le —— a usted ? 8. (*estar*) No —— cansado. 9. (*abrir*) Las niñas —— la puerta. 10. (*ver*) ¿ —— usted aquel árbol ? 11. (*ser*) La noche —— terrible. 12. (*salir*) Nosotros —— juntos.

D

TRADUCCIÓN

1. While the family lived near Casares, uncle Joselito bought a donkey. 2. He brought the donkey home (**a casa**). 3. They opened the door, came out, and looked at the animal. 4. The donkey was very intelligent. 5. One day he left his stable, pushed the door, and entered the house. 6. Uncle Joselito went to Ronda and returned home. 7. One day a bandit knocked at the door of the house. 8. He and his men entered the house, killed and ate all the chickens and stole the donkey. 9. That same

(mismo) day they opened the door and saw the
police. 10. They asked uncle Joselito if he had
seen the bandit. 11. His son answered that the bandits had been there that same morning. 12. "Where
did they go?" they asked. 13. His son and the
police looked for the bandits and found them.
14. There they caught them. 15. Solomón returned
home with two small bags of gold coin.

Ejercicio XXI
(*Véase p. 61*)

A

EJEMPLO: *Llamé* a la puerta.
Llamaré a la puerta.

1. *Abre* la puerta. 2. Ustedes no *abren*. 3. No
permito la entrada. 4. Todos *están* allí. 5. No le
dejo pasar. 6. Usted *entra*. 7. Ésta *es* mi intención.
8. *Entabla* conversación. 9. *Procuró* no hablar.

B

EJEMPLO: llamo: llamará   aprendo: aprenderé
vivía: vivirá

tengo	volvemos	miró
dices	comprende	abrimos
están	soy	ocurría
llamé	yo decía	ha llenado

C

EJEMPLO: (*We-shall-knock*) —— a la puerta.
Llamaremos a la puerta.

1. (*They-will-knock*) —— a la puerta. 2. (*they-
will-open*) No —— la puerta. 3. (*I-shall-look*) ——

por la ventana. 4. (*he-will-permit*) No me ――
entrar. 5. (*we-shall-be*) Todos ―― allí. 6. (*I-shall-try*) ―― hablar. 7. (*will-understand*) Ellos nos
――. 8. (*will-let*) Yo los ―― pasar. 9. (*will-enter*)
Ellos ――. 10. (*will-permit*) ¿ A quién ―― usted
entrar ? 11. (*I-shall-spend*) ―― el tiempo así.
12. (*we-shall-start*) No ―― conversación con el
abogado. 13. (*will-knock*) ¿ Quién ―― a la puerta?
14. (*will-be*) San Ibo ―― el primer abogado en el
cielo. 15. (*will-return*) San Pedro ―― al Señor.

D

Traducción

1. St. Ibo will knock at the door. 2. St. Peter
will look through the peep-hole and will see St. Ibo.
3. He will not open the door. 4. He will not let him
enter because there are no lawyers in heaven. 5. If
St. Ibo enters, St. Peter will tell it (lo) to the Lord.
6. The Lord will listen to St. Peter. 7. We shall
answer him, "St. Ibo will not enter, if you do not
wish it." 8. Peace will end in heaven with a lawyer
among the saints. 9. If the lawyer enters, he will
have to (**deber**) remain near the gate. 10. To (**para**)
spend the time, St. Ibo will ask St. Peter if he is the
gatekeeper of heaven. 11. He will go to the Lord
and ask him if he is the doorkeeper forever. 12. The
Lord tells St. Peter that the lawyer will have to enter
heaven. 13. We shall enter heaven if they open the
door. 14. Our friends will be there. 15. We shall
not start a conversation with Saint Peter. 16. He
will let us pass.

Ejercicio XXII

(*Véase p. 64*)

A

EJEMPLO: distraído: **más** (*o* menos) distraído (*m. s.*)
más (*o* menos) distraída (*f. s.*)
más (*o* menos) distraídos (*m. pl.*)
más (*o* menos) distraídas (*f. pl.*)

generoso	pobre	desaplicado
inocente	audaz	contento
gordo	atónito	quedo

B

EJEMPLO:

Este estudiante es —— audaz —— el otro.
Este estudiante es **más** (*o* menos) audaz que el otro.

1. Es —— generoso —— su mujer. 2. Esta mujer es —— caritativa —— la mujer de Tonín. 3. Tonín es —— distraído —— el estudiante. 4. Tonín es —— gordo —— su amigo. 5. Un estudiante es —— desaplicado —— su compañero. 6. Yo soy —— desaplicado —— él. 7. El gitano es —— pobre —— Tonín. 8. Se quedó —— atónito —— el estudiante.

C

TRADUCCIÓN

1. There were two students; one was poorer than the other. 2. One of the students was more daring than the other. 3. His companion was stouter than Pepín. 4. These students are less generous than Tonín. 5. We remained more astonished than they.

6. Tonín was more generous and more charitable than his wife. 7. We are more diligent than our companions. 8. The students were poorer than the gypsies.

Ejercicio XXIII

(*Véase p. 67*)

A

Ejemplo:

(*terrible*) La tempestad —— este año.
La tempestad fué la más terrible de este año.

1. (*largo*) El día —— este año. 2. (*bravo*) El capitán —— la tripulación. 3. (*hermoso*) La madre —— las mujeres. 4. (*pequeño*) El buque —— el puerto. 5. (*grande*) El sexto —— los botes. 6. (*pobre*) La joven —— las madres. 7. (*pequeño*) El niño —— las criaturas. 8. (*feroz*) El marinero —— los hombres.

B

Ejemplo: mar tranquila: la mar más (*o menos*) tranquila.

marinero audaz   olas formidables
cielo espléndido   criaturas pequeñas
tempestad terrible   hombres fuertes
marinero bravo   escena terrible

C

Ejemplo:

(*the largest in*) El buque era —— el puerto.
El buque era el más grande del puerto.

1. (*the smallest in*) El buque era —— el puerto. 2. (*most ferocious*) (*the kindest*) El marinero de aspecto —— era ——. 3. (*most terrible*) Era una de las esce-

nas ———. 4. (*the most formidable*) La tempestad
era —— que hemos visto. 5. (*youngest on*) Es la
mujer —— el buque. 6. (*the bravest of the*) El capitán
fué —— los marineros. 7. (*the largest in*) El buque
era uno de —— Vigo. 8. (*largest in*) Vigo es una de
las ciudades —— España.

D

Traducción

1. It was the most terrible storm of the year.
2. The boat was the best in the port of Vigo. 3. It
had the largest number of passengers. 4. The captain
was the bravest man on the ship. 5. He was also
one of the best seamen and the strongest of the crew.
6. That storm was one of the most formidable he had
seen. 7. One of the highest waves swept him from
the bridge. 8. The strongest men were not the
kindest on the ship. 9. The bravest men and women
occupied the lifeboats. 10. One of the youngest
mothers had the smallest child on the boat. 11. She
shouted to the strongest man: "Save my child."
12. The most ferocious sailor was the kindest of all.

Ejercicio XXIV

(*Véase p. 72*)

A

Ejemplo: *Salgo* de la tienda.
Estoy saliendo de la tienda.

1. *Entra* en la tienda. 2. *Llamaba* al mandadero.
3. Él *compraba* unos platos. 4. El mandadero *lleva*
la canasta. 5. Él *vivirá* todavía allí. 6. *Abandona-*

mos los negocios.   7. Ellos *rebajaban* el precio.   8. El mercader *trataba* de obtener una rebaja.   9. Ustedes *llegaban* a casa.   10. Yo *contesto* al muchacho. 11. *Escucho* al avaro.   12. Él *dice* eso.

B

EJEMPLO: yo vivía: yo estaba viviendo

yo subo	contestó	yo pensaba
él decía	rebajo	usted responde
yo ganaba	recibiré	ellos iban
íbamos	él vivía	ella venía

C

EJEMPLO: llevar: llevando   vender: vendiendo
vivir: viviendo

prometer	decir	deber	responder
tener	ir	contestar	cumplir
estar	venir	recibir	añadir

D

TRADUCCIÓN

1. An old miser was living in Spain.   2. One day he was coming out of a store.   3. He was carrying a basket full of cups, glasses, and plates.   4. He called a messenger and said to him: "I am carrying this basket, but it weighs much."   5. While the miser was talking, the messenger was listening.   6. The boy was going to go up to the miser's house.   7. The latter (**éste**) was always trying to get a rebate.   8. The two men were going up the stairs.   9. While the man was talking, the messenger threw the basket over the banister.   10. And while the miser was shouting, the messenger returned home.

Ejercicio XXV
(*Véase p. 74*)

A

EJEMPLO: Le trae *los regalos*.
Se los trae.

1. Me da *los regalos*. 2. Quiere decirlo *a su tío*.
3. Te buscaré *el gato*. 4. No me regaló *el cuchillo*.
5. Les preparó *la cama*. 6. Deseamos darles *las
alhajas*. 7. ¿ Me dará usted *las flores?* 8. Desea
darnos *el collar*. 9. No le vendió *el cuchillo*.
10. ¿ Desean ustedes vendernos *las flores ?* 11. ¿ Me
besó *la mano ?* 12. Promete traerle *las semillas*.
13. Le escribo *la carta*. 14. Promete enviarme *las
semillas*. 15. Procura traernos *las gatitas*.

B

EJEMPLO:
Me lo dice: te lo, se lo, nos lo, os lo, se lo dice.

1. Me lo da.
2. Promete vendérmela.
3. Me las trae.
4. No desea dármelos.

C

EJEMPLO: (*it to us*) él escribe: Nos lo escribe.
[*it* = lo o la; *them* = los o las]

1. (*it to us*) él da. 2. (*them to you*) ella dice.
3. (*them to her*) él trae. 4. (*it to us*) él regaló.
5. (*them to them*) ustedes desean dar. 6. (*it to us*) él
promete. 7. (*it to me*) desean traer. 8. (*it to me*)
usted escribe. 9. (*it to her*) prometemos enviar.
10. (*them to me*) usted prepara.

D

TRADUCCIÓN

1. Her uncle brought her presents; he brought them to her. 2. She used to write letters to him; she used to write them to him. 3. She promised to write them to him. 4. When he returned he gave her the two cats; he gave them to her; he did not wish to give them to us. 5. The child prepared a bed for them; she prepared it for them. 6. She promised to prepare it for me. 7. Her parents gave (regalar) her a necklace; they gave it to her; they did not wish to give it to you. 8. Did they sell it to you? 9. No, they promised to sell it to us, but they did not bring it [to us]. 10. Did you give me the flowers? Did you give them to me? 11. No, I promised to send them to you, but I did not [send them to you]. 12. Will you send them to me?

Ejercicio XXVI

(*Véase p. 80*)

A

EJEMPLO: El oficial se levantó más de 20 veces.
El oficial se levantó más de **veinte** veces.

1. El soldado bajó más de *100* veces. 2. En la barraca había más de *150* cuerdas y menos de *200*. 3. La barraca estaba a una altura de *1200* metros. 4. El teniente vivía allí de *275* a *294* días de los *365* del año. 5. Los cazadores habían andado de *700* a *900* metros. 6. De *500* a *700* hombres habían pa-

sado por aquel sendero. 7. El sendero mostraba una superficie lisa por unos *600* pasos. 8. El sargento estaba a una profundidad de *160* pies. 9. El abismo tenía una profundidad de *1000* a *1500* pies. 10. La cuerda había bajado de *700* a *800* pies.

B

EJEMPLO: 150 cazadores: **ciento cincuenta** cazadores

150 cazadores	900 uniformes	600 rocas
520 hombres	710 metros	1000 oficiales
200 cuerdas	100 mantas	450 gorros

C

EJEMPLO: 106: **ciento seis**

106	415	1237	1922
238	526	1453	1898
373	777	1775	1914

D

TRADUCCIÓN

1. The officer descended some (**unos**) 750 and ascended some 1500 meters to get the news. 2. When he arrived there, he fell 400 or 500 feet. 3. In 1910 he had fallen some 100 meters. 4. He has walked 300 steps over this path, and some 750 over the other. 5. The abyss had a depth of 700 or 900 feet. 6. The lieutenant will descend the distance of 200 or 300 feet. 7. If the rope breaks (**se rompe**), he will fall from 500 to 600 feet. 8. The men had lowered the ropes 90 or 100 meters. 9. The two sergeants were at a depth of 175 feet.

Ejercicio XXVII

(*Véase p. 86*)

A

EJEMPLO: Hay un lago —— es circular.
Hay un lago **que** es circular.

El curaca no sabía —— iba a hacer.
El curaca no sabía **lo que** iba a hacer.

1. Los indios —— vivían allí eran vasallos del Inca.
2. El lago, cerca de —— vivían los indios, **era** pequeño.
3. Entre ellos vivía un curaca —— era rico.   **4.** Los objetos —— poseía eran de valor inestimable.
5. Ésta es la urna de —— le hablé.   **6.** Los pueblos —— vivían cerca del mar esperaban a los forasteros.
7. Ima prometió hacer —— le dijo su esposo.
8. Ima, a —— dió la urna, prometió guardarla.
9. Los indios, con —— hablaba el curaca, eran guerreros.   **10.** Los objetos —— recibió eran de oro y de plata.

B

EJEMPLO: lago: el lago   **que**   hombre: el hombre **que**
el lago   **del cual**   el hombre **de quien**
el lago   **al cual**   el hombre **a quien**
el lago   **que**   el hombre **que**

urna	habitantes	conquista	objetos
indios	regiones	mujeres	pueblo
canasta	mano	tiendas	ciudad

C

EJEMPLO:
(*who*) Los habitantes —— vivían allí eran indios.
Los habitantes **que** vivían allí eran indios.

1. (*who*) Los hombres —— estaban allí eran españoles.   **2.** (*whom*) El curaca —— esperaban llegó.

3. (*to whom*) La mujer —— hablaba era Ima.
4. (*which*) La urna —— recibió era sagrada.
5. (*who*) Los indios, —— venían de todas partes, la adoraban. 6. (*which*) La tradición —— todos habían oído, era la misma. 7. (*of which*) Ésta no es la tradición —— usted me habló. 8. (*what*) Los indios no sabían —— iban a hacer. 9. (*of whom*) Los forasteros —— todos hablaban eran españoles.

D

TRADUCCIÓN

1. Ima gave him many objects, among which [there] was the urn. 2. He found the person to whom she had given the urn. 3. Did she do what she had promised ? 4. It was not a messenger who took the urn. 5. The messenger whom we saw was young. 6. He saw the urn which he wanted for the Inca. 7. The Indian did not know what the urn was. 8. Who were the Indians with whom the chief was speaking ? 9. Did he find the objects he was looking for ? 10. He is the chief who received the urn from his grandfather. 11. The inhabitants will tell the chief what Ima has done. 12. The strangers who arrived spoke Spanish. 13. Do you understand the story we are reading? 14. Here is the door through which Ima ran. 15. There is the stone from which she jumped into the enchanted lake. 16. This is the strong Indian from whom she ran. 17. Those are the ships on which the strangers arrived. 18. This is a legend which we like very much.

Ejercicio XXVIII*

(*Repaso*)

A

EJEMPLO:　Éstas son *my* órdenes y *yours*.
Éstas son mis órdenes y las suyas.

1. Entró en *my* cuarto y no en *his*.　2. *Our* cuarto es pequeño; *yours* es grande.　3. Hallé *his* revólver, pero no *mine*.　4. *Our* soldados están en la galería; ¿ dónde están *yours*?　5. Abro *my* puerta cuando usted abre *yours*.　6. La cárcel estaba en *our* ciudad y no en *theirs*.　7. ¿ Es este revólver *mine* or *yours*?　8. Morato estaba en *his* cuarto; no estaba en *ours*.　9. Este hombre es *our* oficial; ¿ quién es *yours*?　10. ¿ Tiene usted *their* revólver o *ours*?　11. *Your* cabo y *mine* entran allí.

B

EJEMPLO:　diván:　un, el, este, ese, aquel diván
éste, ése, aquél

puerta	mesas	oficiales
fusiles	general	cabo
soldados	cuartos	bancos

C

EJEMPLO:　*Sg.* Abrí　la puerta.
Pl. Abrimos la puerta.

1. Yo era joven.　2. El cabo entró.　3. Salí de mi cuarto.　4. El soldado gritaba.　5. Pasé la no-

---

* It is suggested that an English summary of the last three stories be prepared by the teacher or the pupils for translation into Spanish. An effort should be made to embody the grammatical principles featured in the *Review Exercises*.

che allí.   6. Él continuaba paseando lentamente.
7. Abrió la puerta.   8. Decidiré hacer algo.
9. Yo fingía dormir.

D

EJEMPLO: 25 centinelas: Veinte y cinco centinelas

75 soldados	1506	1865	700 hombres
82 días	1775	1492	900 bancos
95 fusiles	1824	1910	510 mesas

Ejercicio XXIX
(Repaso)
A

EJEMPLO:
   (healthiest in) Es el hombre —— el pueblo.
   Es el hombre más sano del pueblo.

1. (poorest in) Es el hombre —— el pueblo.
2. (strongest in) Era también el hombre —— la aldea.
3. (bravest) El cazador —— se quedó en el pueblo.
4. (the most terrible in) Aquel oso era —— el monte.
5. (smallest on) Rosa era la chica —— la calle.
6. (the largest in) Esos lobos eran —— el monte.
7. (braver than) Juanón es —— los otros cazadores.
8. (healthier) (stronger than) Es —— y —— yo.
9. (younger than) Yo soy también —— que Juanón.

B

EJEMPLO: Mató a las ovejas: Las mató.

1. Mató a los hombres.   2. Deshizo la puerta.
3. Prometen buscar al oso.   4. Abrió la boca.
5. Odiaba a todos los hombres.   6. Rosa no miró a
Juanón.   7. No deseaba hablar a Juanón.   8. Besó

a Rosa. 9. Decidió llevar *a Rosa* detrás de él.
10. Extendió *los brazos.*

C

EJEMPLO: Se recogió *las mangas:* Se las recogió.

1. Le escribó *las cartas.* 2. Le aplastó *el cráneo.*
3. No quiere darnos *la escopeta.* 4. Promete darme
los fusiles.

D

EJEMPLO: (*whom*) Buscaba a alguien —— herir.
Buscaba a alguien a quien herir.

1. (*whom*) Los cazadores de —— hablamos son
valientes. 2. (*who*) Llamó a Rosa —— seguía
llorando. 3. (*which*) El oso —— mataron era
grande. 4. (*whom*) La chica —— llamó era Rosa.
5. (*whom*) Los cazadores —— vimos son de esa aldea.
6. (*what*) Ellos no hicieron —— prometieron.
7. (*whom*) Juanón, a —— hablaron, era el cobarde.
8. (*Those who*) —— podían empuñar una escopeta
fueron al monte. 9. (*which*) ¿ Hallaron al oso ——
buscaban ?

Ejercicio XXX

(*Repaso*)

A

EJEMPLO:
(*vender*) Pedro Gil —— agua.
Pedro Gil vende, ha vendido,
vendía, vendió, venderá agua.

1. (*comprar*) Pedro Gil —— agua. 2. (*ser*) Yo
—— hombre honrado. 3. (*ganar*) Él —— muy
poco. 4. (*comprarse*) Ellos —— un asno. 5. (*ganar*)

Nosotros no —— bastante.   6. (*sufrir*) Él —— con paciencia.   7. (*ir*) Él —— al pozo.   8. (*estar*) Usted no —— enfermo.   9. (*tener*) Yo no —— amigos. 10. (*dar*) Él le —— dinero.   11. (*marcharse*) Ella ——.   12. (*prometer*) Yo —— eso.   13. (*decir*) Yo no —— nada.   14. (*oír*) Ellos —— el relato. 15. (*asomarse*) Ella —— a la ventana.   16. (*Llegar*) —— la noche.   17. (*deber*) Ellos —— estar contentos. 18. (*quedarse*) Nosotros——allí.   19. (*decidir*) Él—— hacerlo.

B

Ejemplo:

gasto: gastar	debemos: deber	salen: salir
vende	venimos	vivieron	oyen
poseía	subirán	estaban	bajaron
dieron	debemos	contesté	pregunto

C

Lo contrario de

1. Él *vende* perfumes.   2. Yo *doy* bastante. 3. El moro *contestó*.   4. Ellos *bajaron* la escalera. 5. *Compraremos* buenos muebles.   6. Ellos *salen* de la cueva.   7. No *subirán*.   8. ¿ A quién *preguntará* usted?   9. *Venimos* del pozo.

RESUMEN GRAMATICAL

I

The Indefinite Article: **un** (*m. s.*), **una** (*f. s.*), **unos** (*m. pl.*) **unas** (*f. pl.*)

II

The Definite Article: **el** (*m. s.*), **la** (*f. s.*), **los** (*m. pl*), **las** (*f. pl.*)

III

Contractions: (*a*) de + el = *del;* (*b*) a + el = *al*

IV

The Plural of Nouns: (*a*) el perro, los perros
la madre, las madres
(*b*) el vapor, los vapores
el animal, los animales

V

Direct Personal Object with the Preposition **a:** The preposition **a** is required before a specific personal object; e.g., **Busco** *a* **Pedro. Espera** *al* **dependiente.**

VI

The Feminine and Plural of Adjectives
(*a*) hermoso, hermosa, hermosos, hermosas
(*b*) grande, grande, grandes, grandes
(*c*) útil, útil, útiles, útiles

Note. — Adjectives of nationality ending in a consonant add a for the feminine: **español** (*m.*), **española** (*f.*)

VII
Present Indicative of *ser*

Yo *soy*, tú *eres*, usted, él, ella *es*, nosotr-os, -as *somos*, vosotr-os, -as *sois*, ustedes, ellos, ellas *son*

VIII
Present Indicative of *estar*

Yo *estoy*, tú *estás*, usted, él, ella *está*, nosotr-os, -as *estamos*, vosotr-os, -as *estáis*, ustedes, ellos, ellas *están*

IX
Uses of *ser* and *estar*

ser	*estar*
Es agente de policía (*profession*)	**Está aquí** (*location*)
Es español (*nationality*)	**Está triste** (*accidental quality*)
Es elegante (*characteristic*)	**Está sentado** (*result*)

X
Present Indicative of Regular Verbs
First Conjugation: *hablar*

Yo *hablo*, tú *hablas*, usted, él, ella *habla*, nosotr-os, -as *hablamos*, vosotr-os, -as *habláis*, ustedes, ellos, ellas *hablan*

NOTE: **Yo hablo**   I (do) speak
                                 I am speaking
                                     (*forma afirmativa*)

         Yo no hablo   I do not speak
                                     (*forma negativa*)

         ¿ Hablo yo ?   Do I speak ?
                                     (*forma interrogativa*)

         ¿ No hablo yo ?   Do I not speak ?
                                     (*forma dubitativa*)

XI

Second Conjugation: *aprender*

Yo *aprendo*, **tú** *aprendes*, **usted, él, ella** *aprende*, **nosotr-os, -as** *aprendemos*, **vosotr-os, -as** *aprendéis*, **ustedes, ellos, ellas** *aprenden*

XII

Third Conjugation: *vivir*

Yo *vivo*, **tú** *vives*, **usted, él, ella** *vive*, **nosotr-os, -as** *vivimos*, **vosotr-os, -as** *vivís*, **ustedes, ellos, ellas** *viven*

XIII

Demonstrative Adjectives and Pronouns

Adjectives

SINGULAR		PLURAL	
MASC.	FEM.	MASC.	FEM.
este	esta	estos	estas
ese	esa	esos	esas
aquel	aquella	aquellos	aquellas

Pronouns

| | SINGULAR | | PLURAL | |
MASC.	FEM.	MASC.	FEM.
éste	ésta	éstos	éstas
ése	ésa	ésos	ésas
aquél	aquélla	aquéllos	aquéllas

XIV

Possessive Adjectives and Pronouns

Adjectives

| | SINGULAR | | PLURAL | |
MASC.	FEM.	MASC.	FEM.
mi	mi	mis	mis
tu	tu	tus	tus
su	su	sus	sus
nuestro	nuestra	nuestros	nuestras
vuestro	vuestra	vuestros	vuestras
su	su	sus	sus

Pronouns

SINGULAR		PLURAL	
el mío	la mía	los míos	las mías
el tuyo	la tuya	los tuyos	las tuyas
el suyo	la suya	los suyos	las suyas
el nuestro	la nuestra	los nuestros	las nuestras
el vuestro	la vuestra	los vuestros	las vuestras
el suyo	la suya	los suyos	las suyas

XV

Direct and Indirect Object Pronouns

Direct Object: me, te, le (lo), la, nos, os, los, las

Indirect Object: me, te, le, nos, os, les

XVI

Reflexive Verb: *levantarse*

(**Yo**) *me levanto*, (tú) *te levantas*, (usted, él, ella) *se levanta*, (nosotr-os, -as) *nos levantamos*, (vosotr-os, -as) *os levantáis*, (ustedes, ellos, ellas) *se levantan*

Personal Pronouns after Prepositions: mí, ti, usted, él, ella, nosotr-os, -as, vosotr-os, -as, ustedes, ellos, ellas

XVII

Past Participle

hablar: habl-*ado;* aprender: aprend-*ido;* vivir: viv-*ido*

NOTE: — abrir: abierto; escribir: escrito; hacer: hecho; ir: ido; ver: visto

Present Indicative of *haber*

(**Yo**) *he*, (tú) *has*, (usted, él, ella) *ha*, (nosotr-os, -as) *hemos*, (vosotr-os, -as) *habéis*, (ustedes, ellos, ellas) *han*

Present Perfect

He hablado, comprendido, vivido; has hablado, comprendido, vivido, etc.

XVIII

Imperfect Indicative

I. *hablar*	II. *comer*	III. *vivir*
habl-*aba*	com-*ía*	viv-*ía*
habl-*abas*	com-*ías*	viv-*ías*
habl-*aba*	com-*ía*	viv-*ía*
habl-*ábamos*	com-*íamos*	viv-*íamos*
habl-*abais*	com-*íais*	viv-*íais*
habl-*aban*	com-*ían*	viv-*ían*

ir: iba, ibas, iba, íbamos, ibais, iban
ser: era, eras, era, éramos, erais, eran
ver: veía, veías, veía, veíamos, veíais, veían

XIX
Numbers

1 uno	11 once	50 cincuenta
2 dos	12 doce	60 sesenta
3 tres	13 trece	70 setenta
4 cuatro	14 catorce	80 ochenta
5 cinco	15 quince	90 noventa
6 seis	16 diez y seis	95 noventa y cinco
7 siete	20 veinte	97 noventa y siete
8 ocho	21 veinte y uno	98 noventa y ocho
9 nueve	30 treinta	99 noventa y nueve
10 diez	32 treinta y dos	100 ciento (cien)

XX
Preterite Indicative

I. *hablar*	II. *comer*	III. *vivir*
habl-*é*	com-*í*	viv-*í*
habl-*aste*	com-*iste*	viv-*iste*
habl-*ó*	com-*ió*	viv-*ió*
habl-*amos*	com-*imos*	viv-*imos*
habl-*asteis*	com-*isteis*	viv-*isteis*
habl-*aron*	com-*ieron*	viv-*ieron*

estar: estuve, estuviste, estuvo, estuvimos, estu-
visteis, estuvieron
ser: fuí, fuiste, fué, fuimos, fuisteis, fueron
ir: fuí, fuiste, fué, fuimos, fuisteis, fueron
tener: tuve, tuviste, tuvo, tuvimos, tuvisteis,
tuvieron

XXI
Future Indicative

I. *hablar*	II. *comer*	III. *vivir*
hablar-*é*	comer-*é*	vivir-*é*
hablar-*ás*	comer-*ás*	vivir-*ás*
hablar-*á*	comer-*á*	vivir-*á*
hablar-*emos*	comer-*emos*	vivir-*emos*
hablar-*éis*	comer-*éis*	vivir-*éis*
hablar-*án*	comer-*án*	vivir-*án*

tener: tendré, tendrás, tendrá, tendremos, tendréis, tendrán

decir: diré, dirás, dirá, diremos, diréis, dirán

XXII
Comparative Degree of Adjectives

POSITIVE		COMPARATIVE
Masc.	rico	más (o menos) rico que
Fem.	rica	más (o menos) rica que
M. pl.	ricos	más (o menos) ricos que
F. pl.	ricas	más (o menos) ricas que
	bueno	mejor
	malo	peor
	grande	mayor
	pequeño	menor

XXIII
Superlative Degree

POSITIVE		SUPERLATIVE
Masc.	bravo	el más (o menos) bravo de
Fem.	brava	la más (o menos) brava de
M. pl.	bravos	los más (o menos) bravos de
F. pl.	bravas	las más (o menos) bravas de

bueno	el mejor
malo	el peor
grande	el mayor
pequeño	el menor

XXIV
Present Participle

hablar: habl-*ando;* aprender: aprend-*iendo;* vivir: viv-*iendo*

Note: — decir: diciendo; ir: yendo; venir: viniendo

The Progressive Tenses

(Yo) estoy viviendo; (tú) estabas hablando; (usted) estuvo comprando, (él) estará viviendo, etc.

XXV
Two Object Pronouns

me lo, la, los, las; *te* lo, la, los, las; *se* lo, la, los, las; *nos* lo, la, los, las; *os* lo, la, los, las; *se* lo, la, los, las

XXVI
Numbers

200	doscient-os, -as	700	setecient-os, -as
300	trescient-os, -as	800	ochocient-os, -as
400	cuatrocient-os, -as	900	novecient-os, -as
500	quinient-os, -as	1000	mil
600	seiscient-os, -as	2000	dos mil

1475 mil cuatrocientos setenta y cinco
1519 mil quinientos diez y nueve
1616 mil seiscientos diez y seis
1775 mil setecientos setenta y cinco
1914 mil novecientos catorce.

XXVII

Relative Pronouns

(*a*) *Persons:*   que, de quien, a quién, que; el que, del que, al que, el que

(*b*) *Things:*   que, del cual, al cual, que; lo que, de lo que, a lo que, lo que

VOCABULARIO

ABBREVIATIONS

adj.	adjective	*interr.*	interrogative
adv.	adverb	*m.*	masculine
art.	article	*n.*	noun
cond.	conditional	*obj.*	object
conj.	conjunction	*p.p.*	past participle
def.	definite	*pers.*	personal
dem.	demonstrative	*pl.*	plural
dim.	diminutive	*poss.*	possessive
dir.	direct	*prep.*	preposition
f.	feminine	*pres.*	present
fut.	future	*pres. part.*	present participle
imp.	imperfect	*pret.*	preterite
imper.	imperative	*pron.*	pronoun
ind.	indicative	*prop.*	proper
inf.	infinitive	*rel.*	relative
interj.	interjection	*sg.*	singular

ie, i, or **ue,** in parenthesis after the infinitive,
denotes that the verb is radical-changing

VOCABULARIO

This Vocabulary is intended to be complete in all respects. In addition to listing all the occurring forms of the irregular verbs as separate items, it contains also the various tense-forms of the regular verbs that appear in the first fifteen selections. This plan, it is believed, will facilitate the reading of the text at an early stage of elementary instruction.

A

a on, at, to, with, of, from, by (*before a dir. pers. obj. not to be translated*)

abajo below, down; **de —**, below, downstairs

abandonar to abandon

el **abeto** spruce

abierto, –a *adj.* open; *p.p. of* **abrir** to open

el **abismo** chasm, abyss, gulch

el **abogado** lawyer

abrazado, –a hugging

abrazar to embrace

el **abrazo** embrace

abrí *1. sg. pret. ind. of* **abrir**

abrir to open; **—se** to open, be opened

absoluto, –a absolute, complete

el **abuelo** grandfather

la **abundancia** plenty, abundance

abundante thick

acabar to finish, end; **— de + *inf.*** to have just . . . :

acaba de entrar he has just entered; **—se** to end, come to an end

acariciar to caress

acceder to grant, give in, agree

accesible accessible

el **accidente** accident

el **aceite** oil; **el farolillo de —,** oil lantern

aceptar to accept

acepto *1. sg. pres. ind. of* **aceptar**

aceptó *3. sg. pret. ind. of* **aceptar**

acerca de concerning

se **acerca** *3. sg. pres. ind. of* **acercarse**

acercarse (a) to approach

se **acercó** *3. sg. pret. ind. of* **acercarse**

acierta *3. sg. pres ind. of* **acertar (ie)** to guess correctly; happen

acometer to overtake, attack

acompañe *2. sg. imper. of*

163

acompañar to come with, accompany

se **acostaba** *3. sg. imp. ind. of* **acostarse**

se **acostaban** *3. pl. imp. ind. of* **acostarse** (ue)

acostarse (ue) to go to bed, lie down

me **acosté** *1. sg. pret. ind. of* **acostarse** (ue)

se **acostó** *3. sg. pret. ind. of* **acostarse** (ue)

acudir to come, hasten, hurry, rush forward

adelante forward; **de hoy en —,** from today on; **en —,** henceforth, from now on; ¡ **—** ! go ! start ! go on !

el **ademán** gesture

además besides

adentro inside, within

admirado, –a admired

adonde where

¿ **adónde?** where? whither?

adorar to adore, worship

el **adorno** ornament

adquirió *3. sg. pret. ind. of* **adquirir** (ie) to acquire

advierten *3. pl. pres. ind. of* **advertir** (ie) to notify

afeitar to shave

afirmativo, –a affirmative

afluyeron *3. pl. pret. ind. of* **afluír** to come together

África *f.* Africa

afuera outside

agarrar to grasp, seize; **—se** to cling, clutch

el **agente** agent; **— de policía** detective, officer

se **agitan** *3. pl. pres. ind. of* **agitarse**

agitarse to tremble; be stirred *or* agitated

agradable agreeable, pleasant

agradar to please, suit

el **agradecimiento** thanks

el **agua** *f.* water; **vía de —,** gash (*in side of a boat*)

el **aguador** water carrier

aguardar to watch

agudo, –a shrill

el **agüero** omen, sign, luck

Aguirre *prop. n.*

el **agujero** hole

¡ **ah** ¡ oh !

ahí there, here

ahora now

ahorcado, –a hanged

ahorrar to save

aislado, –a isolated

¡ **ajá** ! aha !

al = a + el to the, at the, in the, into the; **— +** *inf.* on, upon, while **+** *pres. part.:* **— llegar** upon reaching

alabar to praise

la **alacena** closet, storeroom

alargarse to become long, reach out

alargó *3. sg. pret. ind. of* **alargar** to hand out

la **alarma** alarm, warning

alarmaba *3. sg. imp. ind. of* **alarmar**

alarmante alarming

alarmar to alarm, frighten, scare

el **alba** *f.* dawn, morning

el **albañil** mason, workman

el **alcalde** mayor
alcanzar to overtake
la **alcoba** bedroom
la **aldea** village
el **aldeano** peasant, farmer
alegrarse to be glad, rejoice
alegre gay, happy
alegremente cheerfully, happily
la **alegría** joy
alentado, –a encouraged
la **alforja** saddle bag
algo something; somewhat, a little
el **alguacil** constable
alguien somebody, anyone
algún, alguno, –a some; *pl.* several
la **alhaja** jewelry, bauble, trinket
la **Alhambra** Alhambra (*medieval palace of the Moorish kings at Granada in the south of Spain*)
el **alma** *f.* soul
la **almohada** pillow
el **alojamiento** lodging
alojar to lodge
Alonso *prop. n.*
alrededor de around
alternado, –a alternating
la **altivez** dignity, pride
¡ **alto !** halt !
alto, –a high; lo **—o** top
la **altura** height
alumbrar to light up, illuminate
el **alumno** student, pupil; **— interno** boarding pupil; **— externo** day pupil (*a*
pupil not boarding in a school)
alza *3. sg. pres. ind. of* **alzar**
alzar to raise
allá there; **— arriba** up there
allende beyond
allí there; **por —,** around there, near there, over there
el **ama** *f.* mistress, housewife
amanecer to dawn
amar to love
la **amarra** cable, mooring
ambos, –as both
América *f.* America
americano, –a American
el **amigo** friend
el **amo** master, owner, proprietor
el **amor** love
Ana *prop. n.* Anna
anciano, –a old, elderly; el **—o** old gentleman
Andalucía Andalusia (*region in the south of Spain*)
el **andamio** scaffold
andar to go, wander, roam; **— en coche** to ride in a carriage
la **angustia** anguish
el **animal** animal
el **animalito** little animal
animar to encourage, spur on
la **ansiedad** anxiety, worry
ante before, with
anteriormente previously
antes before, rather; **— de** before
antiguamente formerly, in ancient times

antiguo, –a old, ancient, for-
anunciar to announce　[mer
añade 3. sg. pres. ind. of
añadir
añadió 3. sg. pret. ind. of
añadir
añadir to add
añicos m. pl. bits; **hacerse**
—, to break to bits
el año year; tiene . . . —s he
is . . . years old; ¿ cuántos —s tienes ? how old
are you ?
apagado, –a extinguished,
out
apagar to extinguish; —se
to die out, go out
el aparato instrument, apparatus
aparece 3. sg. pres. ind. of
aparecer
aparecen 3. pl. pres. ind. of
aparecer
aparecer to appear
aparecerá 3. sg. fut. ind. of
aparecer
apartar to set aside
apenas hardly
aplacar to appease
aplastar to crush
aplicado, –a diligent
aplicarse to apply oneself,
turn a new leaf
apoyado, –a resting, lean-
ing upon
aprende 3. sg. pres. ind. of
aprender
aprender to learn
apresurarse to hurry
apretar (ie) to press
el aprisco sheepfold
apuntar to aim

aquel, aquella that
aquí here; **por** —, around
here
árabe Arabic
el árbol tree
arde 3. sg. pres. ind. of
arder to burn
la Argentina Argentine Republic
el arma f. weapon
armado, –a armed, sup-
plied, provided
la armonía peace, harmony
arrastrado, –a dragged
down
arrebatar to carry off, wash
overboard
el arrebato rage, anger
arriba above, up; **hacia** —,
up, upward; **el cuarto de**
—, the upper room
arriesgar to risk
arrodillarse to kneel down
arroja 3. sg. pres. ind. of
arrojar
arrojar to throw, toss; **ar-**
rójala = arroja + la throw
it; —se to plunge, leap
el arrojo fearlessness, courage
arrollar to wind
arrugado, –a wrinkled
arruinado, –a ruined
el arsenal arsenal
el arte m. & f. art, skill
el artista artist
asaltar to attack, assault
el asalto attack, " hold-up "
la ascensión ascent
el ascensor elevator, lift
aseguro 1. sg. pres. ind. of
asegurar to assure
asesinar to murder

el **asesinato** murder

asfixiado, –a choked, suffocated

así thus

asir to grasp

el **asiento** seat

asistir (a) to attend

el **asno** donkey

asomar to stick out, thrust, reach; —**se** to look out *or* through, appear; lean out

asombrado, –a astonished, amazed

el **asombro** astonishment, amazement

el **aspecto** aspect, appearance

la **Asunción** Asuncion (*capital of Paraguay*)

asustado, –a frightened, scared

asustar to scare, startle; —**se** to be scared

atado, –a tied, chained

la **atadura** binding, fastening

Atahualpa *prop. n.* Atahualpa (*the last of the Inca kings of Peru*)

atar to tie, chain; —**se** to tie

la **atención** attention; **prestar** —, to listen intently, strain one's ears

atento, –a careful

aterrado, –a terrified

aterrorizar to terrorize, frighten

el **Atlántico** Atlantic Ocean

la **atmósfera** atmosphere

atónito, –a astonished

atrajo *3. sg. pret. ind. of* **atraer** to attract

atrás behind; — **de** behind

atravesar (ie) to pierce, cross

atreverse to dare

atrevido, –a bold, fearless

audaz courageous, bold

aullar to howl

aumentarse to be increased

aun, aún even

la **ausencia** absence

automáticamente automatically

el **autor** author, creator

la **autoridad** authority

la **avalancha** avalanche

avanzar to go ahead, advance

avaro, –a miserly, stingy; el —**o** miser

la **aventura** adventure

avergonzado, –a ashamed

averiguar to find out, ascertain

ayer yesterday

ayudar to help, aid; **ayudarlos = ayudar + los** to help them

azota *3. sg. pres. ind. of* **azotar**

azotando *pres. part. of* **azotar**

azotar to blow (*of the wind*), strike

el **azúcar** sugar

azul blue

B

el **baile** ball, dance

la **bajada** descent

bajan *3. pl. pres. ind. of* **bajar**

bajar to lower; descend, come down; **bájenme = bajen + me** lower me

bajo, –a low; **bajo** *adv.* under

la **bala** bullet

el **balazo** bullet

el **banco** bank; bench

la **banda** side (*of ship*)

la **bandada** flock

la **bandera** flag

el **bandido** bandit

bárbaro, –a fierce, bloody

el **barbero** barber

el **barómetro** barometer

la **barraca** barracks

el **barranco** gorge, ravine

barrer to sweep, wash, dash over

bastante enough, sufficient

bastar to suffice

el **bastón** stick, staff; **— ferrado** iron-shod staff, alpenstock

el **bautismo** baptism

beber to drink

bendito, –a blessed, holy; **roncar como un —,** to snore like a pig

Benjamín *prop. n.* Benjamin

besar to kiss; **besándole = besando + le** kissing him

el **beso** kiss

la **bestia** beast, animal

la **biblioteca** library

bien well

el **Bizco** *prop. n.* " Squinty "

blanco, –a white

blandir to brandish, swing

la **boca** mouth, jaws

la **bofetada** slap, blow

la **bolsa** pocketbook, money

el **bolsillo** pocket

bondadoso, –a kind

la **borda** railing

el **bordo** board; **a —,** on board (*ship*)

el **bosque** woods, thicket

botar to launch

el **bote** lifeboat

la **botija** water jug

el **botín** shoe, high shoe, boot

el **bramante** strand (*of rope*)

bravo, –a brave, good, capable, fearless

el **brazo** arm

breve short

brillante glittering; **el —,** diamond

el **brinco** leap, jump, bound

la **brisa** breeze

la **bruja** witch

bruscamente abruptly

la **brutalidad** savageness, brutality

buen, bueno, –a good; very well, well

Buenos Aires Buenos Aires (*capital of the Argentine Republic*)

el **buey** ox

la **bujía** candle, taper

el **bulto** (shapeless) form; package

el **buque** vessel, ship

burlón, –ona mocking, teasing, jesting

el **burro** donkey

la **busca** search

busca *3. sg. pres. ind. of* **buscar**

buscar to look for, get; — pelea to be ready to fight

C

el caballero gentleman

el caballo horse; a —, on horseback

el cabello hair

la cabeza head

cabizbajo, –a discouraged, dejected

el cabo end; corporal

el cacharro dish, piece of crockery

cada each, every

el cadáver corpse, body

la cadena chain

cae 3. sg. pres. ind. of caer

caer to fall; —se to fall

el café coffee; restaurant

la caída fall

caído p.p. of caer to fall

caigo 1. sg. pres. ind. of caer

la caja box

la cajita little box

calado, –a pulled down, drawn down

la calamidad misfortune, calamity

calcula 3. sg. pres. ind. of calcular to count

caldeado, –a heated

calmar to calm

cálmese 2. sg. imper. of calmarse to be calm

el calor heat; hace —, it is warm

caluroso, –a hot, warm

calla 3. sg. pres. ind. of callar

callar to remain silent;

—se to be silent, keep silent

la calle street

calló 3. sg. pret. ind. of callar to remain silent

la cama bed

cambiar to change

el cambio change; en —, in exchange, on the other hand

el camello camel

caminado p.p. of caminar

caminar to walk

el camino trip, road; — real highway

la camisa shirt

el campanario belfry, steeple

el campesino peasant, farmer

el campo field

la canasta basket

cansado, –a tired

cansar to tire

cantar to sing, chant; cantándolo = cantando + lo singing it

la caña handle

capaz (pl. –ces) able

la capital capital (city)

el capitán captain

el capón capon

el capote military cape

la cara face

la caravana caravan

el carbón coal

el carbonero charcoal burner

la carcajada laugh, (burst of) laughter

la cárcel prison

la carga load

cargado, –a loaded, carrying

el cargo position, job

la **caridad** charity, pity, heart, feelings, kindness
el **cariño** affection
caritativo, –a charitable
Carmona Carmona (*town in Andalusia*)
la **carne** flesh
caro, –a dear
la **carta** letter
la **cartera** wallet, purse
la **carrera** race; — **en sacos** sack race
el **carro** truck, wagon
la **casa** house, home; **en** —, at home, in the house, inside; **a** —, home, homeward
Casares Casares (*town in Andalusia*)
casarse con to marry
casi almost
la **casilla** little house; — **del perro** kennel, dog house
el **caso** case, fact; **no hacer** — **de** not to pay attention to
el **castaño** chestnut tree
castigado, –a punished
castigar to punish
la **casucha** hut, hovel
catorce fourteen
la **causa** cause, reason
causar to cause
cautelosamente carefully, cautiously
cayeron *3. pl. pret. ind. of* **caer** to fall
cayó *3. sg. pret. ind. of* **caer**
el **cazador** hunter, soldier
ceder to give way, break, tear
la **celda** cell

celebrarse to be observed *or* celebrated
célebre famous, celebrated
el **celo** zeal
la **cena** supper
cenar to eat supper
el **centavo** cent
centinela *m. & f.* sentinel; **entrar de** —, to enter upon watch, take one's post
central central
el **centro** middle, center
cerca (de) near
cercano, –a neighboring
la **cerradura** lock; **ojo de** —, keyhole
cerrar (ie) to close, shut
cesar to stop
ciego, –a blind
el **cielo** sky, heaven
cien, ciento one hundred
científico, –a scientific
cierto, –a certain; **tener por** —**o** to be sure, not to doubt
la **cima** peak
cinco five
cincuenta fifty
el **cine** cinema, moving picture, "movies"
la **cintura** belt
circular round
la **ciudad** city
civil civil; **Guardia** —, state police, mounted police, police
claramente clearly, distinctly
claro, –a clear; —**o que** it is evident
la **clase** class; **¿ qué** — **de ?** what kind of ?

clavar to dig in, drive in

cobarde cowardly; el —, coward

cobrar to charge

la cocina kitchen

el coche, coach, carriage; andar en —, to ride in a carriage

el cofre chest

coger to take, pick up, grasp

el colegio school, private school

la colina hill

colocar to place

la colonización colonization, settlement

el color color

el collar necklace

la comarca district

el combate scuffle, struggle

el comedor dining room

comenzar (ie) to begin

comer to eat; —se to eat up; comérselo = comer + se + lo to eat it up; darle de —, to feed him; nada qué —, nothing to eat

comercial commercial

el comerciante merchant

cometer to commit

la comida meal

como as, like, as if; since; ¿ cómo ? (¡ cómo !) how ?

compadecido, –a touched, moved

el compadre friend, crony

la compañera companion

el compañero partner, companion

la compañía company

compasivo, –a compassionate

completamente completely

completo, –a complete

compra 2. and 3. sg. pres. ind. of comprar to buy

el comprador customer, buyer

comprando pres. part. of comprar

comprar to buy; —se to buy (for oneself)

comprender to understand, know

comprendido p.p. of comprender

comprendo 1. sg. pres. ind. of comprender

se compró 3. sg. pret. ind. of comprarse to buy for oneself

comprometedor, –ora compromising

comprometerse to expose oneself, involve oneself

compuesto, –a composed

común general, in common

comunicar to communicate, tell

comunicativo, –a talkative, friendly, unreserved

con with

concluyó 3. sg. pret. ind. of concluír to finish, conclude

el concurso event, contest, game

conduce 3. sg. pres. ind. of conducir to lead, take, convey

condujo 3. sg. pret. ind. of conducir

el **conejo** rabbit
confesar (ie) to confess
la **confianza** confidence
la **confusión** confusion, turmoil, uproar
confuso, –a confused
conjugar to conjugate
el **conjunto** heap
conmigo with me
la **conmoción** uproar
se **conocen** *3. pl. pres. ind. of* **conocerse**
conocer to know, recognize; —se to know one another, be known
conocido, –a well-known; el —o acquaintance
conozco *1. sg. pres. ind. of* **conocer**
conque so then
la **conquista** conquest
el **conquistador** conqueror
conquistar to conquer
la **consecuencia** consequence
el **consejo** advice
consentir (ie) to consent, agree
el **conserje** janitor
considerarse to consider oneself
consigo with himself
consiguiente: por —, consequently
constar to be understood; **hacer** —, to affirm
contado, –a retold, twice-told
contar (ue) to count, tell
conté *1. sg. pret. ind. of* **contar** (ue)
contener to stop; hold, contain

contenía *3. sg. imp. ind. of* **contener**
conteniendo *pres. part. of* **contener**
contento, –a satisfied
contesta *3. sg. pres. ind. of* **contestar**
contestar to answer
contestó *3. sg. pret. ind. of* **contestar**
la **contienda** conflict, battle
contienen *3. pl. pres. ind. of* **contener** to contain
el **continente** continent
continúa *3. sg. pres. ind. of* **continuar**
continuar to continue, remain
contó *3. sg. pret. ind. of* **contar** (ue) to count, tell
contra against
contrario, –a contrary; el —o adversary; lo —o contrary; al —o on the other hand
contuve *1. sg. pret. ind. of* **contener** to stop
convencer to convince
convencido, –a convinced
convenido, –a agreed (on)
el **convento** convent
la **conversación** conversation
la **conversión** conversion, change of faith
se **convertía** *3. sg. imp. ind. of* **convertirse** (ie) to become
convertido, –a changed
convertirse (ie) to change into, transform; **convertirte = convertir + te** to

change into; —se en to turn into, become

se **convierte** *3. sg. pres. ind. of* **convertirse**

convino (en) *3. sg. pret. ind. of* **convenirse** (en) to agree (to)

se **convirtió** *3. sg. pret. ind. of* **convertirse** (ie)

la **convulsión** convulsion

el **coraje** anger

el **coral** coral

el **corazón** heart

Córdoba Cordova (*a city in Andalusia*)

cortar to cut

la **corteza** crust, crumb

el **corral** yard

corren *3. pl. pres. ind. of* **correr**

correr to run; flow

corriendo *pres. part. of* **correr**

la **cosa** thing, matter, affair

la **costa** shore, coast; cost

el **costado** side

costará *3. sg. fut. ind. of* **costar** (ue) to cost

la **costumbre** custom, habit; de —, as usual

el **cráneo** skull

cree *3. sg. pres. ind. of* **creer**

creer to believe

creerá *3. sg. fut. ind. of* **creer**

creía *3. sg. imp. ind. of* **creer**

creían *3. pl. imp. ind. of* **creer**

creímos *1. pl. pret. ind. of* **creer**

creo *1. sg. pres. ind. of* **creer**

creyendo *pres. part. of* **creer**

creyó *3. sg. pret. ind. of* **creer**

el **criado** servant

la **criatura** baby, child

el **crimen** crime

el **criminal** wretch, villain

el **cristal** glass

cristiano, –a Christian

crítico, –a desperate

la **crucecita** little cross

cruel cruel

cruza *3. sg. pres. ind. of* **cruzar**

cruzar to cross, traverse

la **cuadra** stable

el **cuadro** painting

cual: el **cual**, la **cual** who, which, what

¿ **cuál**? what? which?

cualquier(a) any

cuán how (much)

cuando when; ¿ —? when?

¿ **cuánto, –a**? how much?; *pl.* how many? ¿ —s años tiene? how old is?

cuarto, –a fourth

el **cuarto** room; — **de arriba** upper room

cuatro four

la **cubierta** deck

cubierto, –a covered

el **cubil** lair, cave, den

cubrirse to put one's hat on

el **cuchillo** knife

cuelga *3. sg. pres. ind. of* **colgar** (ue) to hang

el **cuello** throat, neck

la **cuenta** account

el **cuento** story, tale

la **cuerda** rope
el **cuero** leather
el **cuerpo** body
cuestas: a —, on one's back
la **cuestión** question
el **cuestionario** questionnaire, series of questions, quiz
la **cueva** cave, cavern
cuidar to care for
el **cuidado** care
la **culata** breech, butt-end of a gun
cumplido, –a fulfilled
cumplió *3. sg. pret. ind. of* **cumplir**
cumplir (con) to fulfill, keep
el **curaca** Indian chief, governor
la **curiosidad** curiosity, interest
curioso, –a inquisitive
el **Cuzco** Cuzco (*a city in southern part of Peru*)

Ch

la **chaqueta** coat
charlar to chat
el **chasqui** Indian messenger
la **chica** young girl
el **chico** son, boy
la **chimenea** fireplace
el **chiquillo** small boy
chismear to gossip
chocar to strike; **— con** to strike against; **¡ chócala !** shake hands !
el **choque** shock, bump
el **chorizo** sausage
la **choza** hut, shack

D

da *3. sg. pres. ind.* of **dar** to give
daba *3. sg. imp. ind. of* **dar**
dado *adj.* given; *p.p.* of **dar**
la **daga** dagger
la **dama** lady
el **daño** harm; **hacer — a** to harm
dar to give; **darle = dar +** le to give him; **tuvimos que —le de comer** we had to feed him; **— las gracias** to thank; **— un paseo** to take a stroll; **— un suspiro** to heave a sigh
daría *3. sg. cond. of* **dar**
de of, with, by, from, in, at
dé *2. sg. imper. of* **dar** to give; **déme = dé + me** give me; **dénos = dé + nos** give us
debajo (de) under, below; **por — de** under
debe *3. sg. pres. ind. of* **deber**
debemos *1. pl. pres. ind. of* **deber**
deber must, ought, owe
el **deber** duty
debería *2. and 3. sg. cond. of* **deber**
debía *3. sg. imp. ind. of* **deber**
débil weak
decía *3. sg. imp. ind. of* **decir** to say
decide *3. sg. pres. ind. of* **decidir**

decidió *3. sg. pret. ind. of* **decidir**

decidir to decide

decir to say, tell, speak; **decirme** = **decir** + **me** to tell me; **decírmelo** = **decir** + **me** + **lo** to tell it to me

defender (ie) to defend; —**se** to plead

deja *2. sg. imper. of* **dejar**; **déjalo** = **deja** + **lo** let him

dejar to allow, leave, let, permit, give up; — **de** to fail to, cease, stop; **no se deja ver** does not want to be seen

déjeme *2. sg. imper. of* **dejar** + **me** let me

dejen *2. pl. imper. of* **dejar**: **déjenla** = **dejen** + **la** let it

del = **de** + **el** of the

delante de in front of, facing

demás rest, other; **los** —, the other, the rest of the

demasiado, –a too much

la **demora** delay, hesitation

demostrar (ue) to show

dentro in, inside; — **de** within, in

el **departamento** compartment, section

el **dependiente** clerk

derecho, –a right, direct; **el** —**o** right

desafiar to defy

desagradar to displease

desaparecen *3. pl. pres. ind. of* **desaparecer**

desaparecer to disappear

desaplicado, –a lazy

desasirse to break away

el **desastre** disaster

desatar to unfasten

el **desayuno** breakfast

se **descalza** *2. sg. pres. ind. of* **descalzarse** to take off one's shoes

se **descalzaba** *3. sg. imp. ind. of* **descalzarse**

descansar to rest

el **descanso** rest

el **descendiente** descendant

descompuesto, –a broken, shattered, crippled

desconcertarse to be discouraged, be disheartened

desconocido, –a unknown, strange

describirse to be described

descubierto *adj.* bare; *p.p. of* **descubrir**

descubrir to discover, find out

descuidado, –a off guard

desde from

el **desdichado** wretch, unfortunate person

desea *2. and 3. sg. pres. ind. of* **desear**

deseaba *1. sg. imp. ind. of* **desear**

deseamos *1. pl. pres. ind. of* **desear**

desean *3. pl. pres. ind. of* **desear**

desear to wish, desire, want to

desearía *1. sg. cond. of* **desear**

desearíamos *1. pl. pres. cond. of* **desear**

desenvuelve *3. sg. pres. ind. of* **desenvolver (ue)** to unwrap

deseo *1. sg. pres. ind. of* **desear**

el **deseo** wish, desire

desesperado, –a desperate

la **desgracia** misfortune

deshecho, –a thawed, melted

deshizo *3. sg. pret. ind. of* **deshacer** to break open

deshonrar to dishonor

desierto, –a deserted; el —o desert

desigual unequal

deslizar to slide, glide, slip, pass

desmesuradamente wide, excessively

desocupado, –a vacant

despacio slowly

el **despacho** office

despedirse (i) to take leave of

despertaba *3. sg. imp. ind. of* **despertar (ie)**

despertado *p.p. of* **despertar (ie)**

despertar (ie) to wake up, awaken; —se to wake up, awake

se **despidió** *3. sg. pret. ind. of* **despedirse (i)** to take leave

despiertan *3. pl. pres. ind. of* **despertar (ie)**

el **desprecio** scorn, contempt

después after, afterwards, then; — de after; — de leerlo after reading it

se **destaca** *3. sg. pres. ind. of*

destacarse to stand out, be visible

destinado, –a reserved, assigned, set aside

destituye *3. sg. pres. ind. of* **destituír** to deprive, dismiss

la **destreza** skill

destrozado, –a shattered, destroyed

el **detalle** detail

detrás behind; — de behind

devuelto *p.p. of* **devolver (ue)** to return

di *2. sg. imper. of* **decir** to tell; **dime** = **di** + **me** tell me; **dilo** = **di** + **lo** say it

el **día** day; **ocho** —s a week; **quince** —s two weeks

el **diablo** devil

dice *2. and 3. sg. pres. ind. of* **decir** to tell, say, speak

dices *2. sg. pres. ind. of* **decir**

diciendo *pres. part. of* **decir** to tell, say; **diciéndome** = **diciendo** + **me** telling me

dicho *p.p. of* **decir**

dichoso, –a blessed (*ironical*)

el **diente** tooth

dieron *3. pl. pret. ind. of* **dar** to give

diez ten

la **dificultad** difficulty

diga *2. sg. imper. of* **decir** to tell, say

digo *1. sg. pres. ind. of* **decir**

dije *1. sg. pret. ind. of* **decir**

dijo *3. sg. pret. ind. of* **decir**

dimos *1. pl. pret. ind. of* **dar** to give; **nos** — **la mano** we shook hands

la **dinastía** dynasty
el **dinero** money
dió *3. sg. pret. ind. of* **dar**
to give
Dios God; **por** —, for
heaven's sake
diré *1. sg. fut. ind. of* **decir**
to tell
el **director** manager, principal
dirigirse (a) to go (toward),
turn to, address, direct
el **discípulo** student
la **discusión** argument
el **disgusto** misfortune
disimular to hide
el **disimulo** caution, cunning
disparar to shoot, discharge
one's gun, open fire
dispensar to pardon
disponerse (a) to get ready
to, prepare to
dispuesto, –a disposed,
ready
la **disputa** dispute, quarrel,
brawl
disputarse to contest, fight
for
la **distancia** distance
distinguir to distinguish
distinto, –a different
distraído, –a absentminded
el **diván** couch
me **divertía** *1. sg. imp. ind. of*
divertirse (ie) to enjoy
oneself
dividir to divide
divierte *3. sg. pres. ind. of*
divertir (ie) to amuse
divino, –a divine, heavenly
el **doble** double
doce twelve
el **documento** document

el **dólar** dollar
dominar to control; **—lo**
= **dominar** + **lo** to control him
el **domingo** Sunday
don *Spanish title placed
before the given name of
a man and not translated
into English*
donaría *3. sg. cond. of* **donar**
to donate, give
donde where; ¿ (en)
dónde? where? ¿ **por**
dónde? in what direc-
tion?
donó *3. sg. pret. ind. of*
donar to donate, give
doña *Spanish title used before the given name of a
lady and not translated
into English*
me **dormí** *1. sg. pret. of* **dor-**
mirse (ue) to fall
asleep
dormía *1. sg. imp. ind. of*
dormir (ue) to sleep
dormido, –a asleep
dormir (ue) to sleep; **—se**
to fall asleep
dos two
doy *1. sg. pres. ind. of* **dar**
to give
dubitativo, –a interrogative-
negative
la **duda** doubt
dudar to doubt
la **dueña** owner, mistress
el **dueño** owner, master, host
duerme *3. sg. pres. ind. of*
dormir (ue) to sleep
duermes *2. sg. pres. ind. of*
dormir (ue)

dulce sweet, soft; **el —,** candy, sweet

dulcemente softly

Durán *prop. n.* Duran

durante during

durar to last

durmiendo *pres. part. of* **dormir (ue)** to sleep

se **durmieron** *3. pl. pret. ind. of* **dormirse (ue)** to fall asleep

durmió *3. sg. pret. ind. of* **dormir** to sleep

se **durmió** *3. sg. pret. ind. of* **dormirse (ue)**

el **duro** dollar

E

e and (*used instead of* **y** *before a word beginning with* **i** *or* **hi**)

la **economía** economy, thrift

echado *p.p. of* **echar**

echar to cast, throw, fling, lower; place, put; **—se** to lie down

la **edad** age

el **edificio** building

el **efecto** effect

el **egoísmo** selfishness

¡**eh!** eh! what!

el **ejemplo** example

el **ejercicio** exercise; **hacer —,** to take exercise

el *def. art.* the

él *pers. pron.* he, him

elegante fashionable, refined

la **elocuencia** eloquence

ella *pers. pron.* she, it

ellos, –as, *pers. pron.* they, them

ello *pers. pron.* it, that

embarcar to embark

embargo: sin —, nevertheless

la **eminencia** height, elevation, rising ground

emocionado, –a touched, moved, affected

empezar (ie) to begin

empieza *3. sg. pres. ind. of* **empezar (ie)**

empiezan *3. pl. pres. ind. of* **empezar (ie)**

empiezas *2. sg. pres. ind. of* **empezar (ie)**

el **empleado** employee

empujar to push

el **empujón** push

empuñar to grasp, hold; shoulder

en in, on, to, during

encantado, –a enchanted; happy

encantador, –ora charming

el **encanto** charm

encarcelar to imprison

encender (ie) to light

encendí *1. sg. pret. ind. of* **encender (ie)**

encendido, –a lighted

encerrado, –a enclosed, locked in, imprisoned

encima de above; on top of

encoger to draw in; **—se de hombros** to shrug one's shoulders

encontrar (ue) to find, meet, come upon; **encontrarme = encontrar + me** to find me; **—se** to find oneself, meet, be stationed

encontraron *3. pl. pret. ind.
of* encontrar (ue)

encontré *1. sg. pret. ind. of*
encontrar (ue)

encontró *3. sg. pret. ind. of*
encontrar (ue)

encorvarse to bend forward

encuentra *3. sg. pres. ind.
of* encontrar (ue)

enemigo, –a enemy, hostile

enfadarse to get angry

la enfermedad sickness

enfermo, –a sick, ill

enfurecido, –a furious, in-
furiated

engañan *3. pl. pres. ind. of*
engañar

engañar to deceive, fool,
mislead

enojar to be angry

el enojo anger

enorme enormous, large

ensangrentado, –a bleed-
ing

enseña *3. sg. pres. ind. of*
enseñar to teach, show

entablar to start, begin

enterado, –a informed

enterrar to bury

entonces then

entra *3. sg. pres. ind. of*
entrar

la entrada entrance, admis-
sion

entrando *pres. part. of*
entrar

entrar to enter; — en to
enter, go into; — de
guardia to enter on guard
duty; — de centinela to
enter upon watch, take
one's post

entraron *3. pl. pret. ind. of*
entrar

entre under, among, be-
tween, in

entré *1. sg. pret. ind. of*
entrar to enter

entrega *3. sg. pres. ind. of*
entregar

entregando *pres. part. of*
entregar

entregar to hand over, surrender, give; —se to
surrender

entregó *3. sg. pret. ind. of*
entregar

entretanto meanwhile

entró *3. sg. pret. ind. of*
entrar to enter

enviar to send

la envidia envy

envidiar to envy

envuelve *3. sg. pres. ind.
of* envolver (ue) to wrap
up

el epíteto name, epithet

el equilibrio balance, equilib-
rium

equivocado, –a mistaken

equivocarse to be mis-
taken, make a mistake;
get lost

era *3. sg. imp. ind. of* ser
to be

éramos *1. pl. imp. ind. of*
ser

eran *3. pl. imp. ind. of* ser

eres *2. sg. pres. ind. of* ser

es *3. sg. pres. ind. of* ser

la escalera stairs, staircase

el escalón step

escaparse to run away,
escape

la **escena** scene
esconderse to hide
escondido, –a hidden
la **escopeta** gun
la **escotilla** hatchway, hatch
escribir to write
escrito, –a written
la **escritura** document, agreement
escucha *3. sg. pres. ind. of* escuchar
escuchar to listen; **escúcheme = escuche + me** listen to me
ese, –a *dem. adj.* that, this
el **esfuerzo** effort, resolution; energy; strain
eso *dem. pron.* that, this; **por —,** for that reason
el **espacio** space
la **espalda** shoulder, back; **volver la —,** to turn one's back
el **espanto** fear
espantoso, –a frightful
España *f.* Spain
el **español** Spaniard, Spanish; **español, –a** Spanish, Spaniard
especialmente especially
la **especie** kind
el **espectáculo** spectacle
el **espectador** spectator
el **espectro** ghost
espera *3. sg. pres. ind. of* esperar
la **esperanza** hope
esperar to expect, hope; wait (for)
espere *2. sg. imper. of* esperar

espero *1. sg. pres. ind. of* esperar
esperó *3. sg. pret. ind. of* esperar
espeso, –a thick; intense, great
el **espíritu** spirit
espléndido, –a magnificent, clear
la **esposa** wife
el **esposo** husband
el **esquife** small boat, life boat
está *3. sg. pres. ind. of* estar to be; **— bien** very well
estaba *3. sg. imp. ind. of* estar
estaban *3. pl. imp. ind. of* estar
la **estación** station
el **estado** condition
estamos *1. pl. pres. ind. of* estar
están *3. pl. pres. ind. of* estar
el **estante** shelf, bookshelf
estar to be
estará *3. sg. fut. ind. of* estar
estaría *3. sg. cond. of* estar
estás *2. sg. pres. ind. of* estar
el **este** East
este, –a *dem. adj.* this
éste, –a *dem. pron.* this one, the latter, he, she; *pl.* these, they
la **estera** mat, matting
estimado, –a esteemed
estirarse to become taut, tighten
esto *dem. pron.* this, that

estoy *1. sg. pres. ind. of*
estar to be
estrecho, –a narrow
la **estrella** star
estrellarse founder, dash
against, be shattered, be
wrecked
el **estudiante** student
estudiar to study
el **estudio** study, studio
estupefacto, –a aghast,
astonished
estuvieron *3. pl. pret. ind.
of* estar to be
estuvimos *1. pl. pret. ind.
of* estar
estuvo *3. sg. pret. ind. of*
estar
la **eternidad** eternity
europeo, –a European; el
—o European
evidentemente evidently
evitar to avoid
el **exâmen** examination
examinar to examine
excavar to dig
la **excelencia** fine quality, ex-
cellence
excelente excellent
excepto except
excitado, –a excited
exclama *3. sg. pres. ind. of*
exclamar
la **exclamación** exclamation
exclamar to exclaim
la **exhibición** exhibition
exigir to require
el **éxito** success, result
la **expedición** expedition
expirar to expire, die
explica *3. sg. pres. ind. of*
explicar

explicar to explain; **explícame = explica + me**
explain to me
explorar to investigate,
explore
exquisito, –a delicious
extendió *3. sg. pret. ind. of*
extender (ie) to stretch
el **exterior** outside; passage,
corridor
externo, –a day (*not boarding*) pupil
el **extranjero** stranger
extraño, –a strange, for-
eign
extraordinario, –a extraordinary, remarkable
extraviarse to get lost; go
astray
el **extremo** end

F

fácil easy
fácilmente easily
falso, –a false, untrue
la **falta** lack; **ni hace** —, nor
is it necessary
faltan *3. pl. pres. ind. of*
faltar
faltar to lack, be lacking
la **familia** family, home
famoso, –a famous
el **fardo** load
el **farolillo** lantern; — **de
aceite** oil lantern
fatal unfortunate
fatigado, –a tired
el **favor** favor
favorable favorable
la **felicidad** happiness
Felipe *prop. n.* Philip

feliz happy, pleasant

el fenómeno spectacle

la feria fair, market

Fermín *prop. n.* Fermin

Fernández *prop. n.* Fernandez

feroz brutal, ferocious

ferrado, –a iron-shod; bastón —, iron-shod staff, alpenstock

el ferrocarril railroad

fiel faithful

la fiera wild animal, beast

la fiesta holiday, festival

figurar to imagine

fijo, –a fixed

la fila line

el fin end; al —, at last; en —, in short; por —, at last

el final end

fingiendo *pres. part. of* fingir

fingir to pretend

fino, –a fine, precious

firmar to sign

firme staunch, firm

flamenco, –a Flemish, of Flanders

la flor, flower

la flotación flotation; línea de —, water line

fondear to drop anchor

el fondo basis, idea

el forastero stranger

la forma form

forman *3. pl. pres. ind. of* formar

formar to form, make; —se to be laid out

formidable huge

formó *3. sg. pret. ind. of* formar

la fórmula formula

la fortaleza fortress

la fortuna fortune; por —, fortunately

Francisco *prop. n.* Francis

Franklin *prop. n.* Franklin (Benjamin)

la frase sentence

la frente brow, forehead

frente a facing, in front of

fresco, –a fresh

frío, –a cold

el frío cold; hace (mucho) —, it is (very) cold; los grandes —s the intense cold

frondoso, –a leafy

el frotamiento friction

frotar to rub

fué *3. sg. pret. ind. of* ir to go; se —, *3. sg. pret. ind. of* irse to go away

fué *3. sg. pret. ind. of* ser to be

el fuego fire

la fuente well

fuera out; hacia —, out, outside

fueron *3. pl. pret. ind. of* ir to go; se —, *3. pl. pret. ind. of* irse to go away

fueron *3. pl. pret. ind. of* ser to be

fuerte strong

fuertemente tightly, securely

la fuerza force, violence, strength; a — de remo bending over the oars

fuí *1. sg. pret. ind. of* ser to be

me fuí 1. *sg. pret. ind. of* irse
to go away

fuimos 1. *pl. pret. ind. of*
ser to be *or* ir to go

funcionar to work, operate,
function

el fundador founder

la furia fury, violence

furiosamente furiously,
loudly; hard

furioso, -a furious

furtivamente slyly, fur-
tively

el fusil gun

el futuro future

G

la galería gallery, corridor

el gallo rooster

ganar to earn, win; —se to
earn for oneself; ganar-
me = ganar + me to earn
for myself

la garganta throat

la garra claw

gastar to spend

gastó 3. *sg. pret. ind. of*
gastar

la gatita cat, pussy

el gato cat, tomcat

general general; en —,
usually

el general general

generoso, -a generous

la gente people

la geometría geometry

Germán *prop. n.* Germain

el gigante giant

Gil *prop. n.*

gira 3. *sg. pres. ind. of* girar
to turn

el gitano gypsy

la gloria fame, honor

gobernar (ie) to govern

el gobierno rudder; manage-
ment

el golfo street urchin, raga-
muffin

el golpe blow, impact; — de
mar toss of the waves

gordo, -a fat, plump

la gorra cap

el gorro cap

la gota drop

gozar (de) to enjoy

el gozo joy, happiness

la gracia grace; *pl.* thanks;
dar las —s to thank

gradualmente gradually

gran *see* grande

Granada Granada (*an an-
cient Moorish city in the
south of Spain, where the
Alhambra is situated*)

grande large, great

el granuja scoundrel, rascal

la gratitud gratitude

gratuito, -a free, gratis

grita 3. *sg. pres. ind. of*
gritar

gritar to scream, cry, shout,
call, cry out; gritarle =
gritar + le to call to him

el grito scream, shriek, cry

grueso, -a massive

el grupo group, detachment

guaraní Guarani (*tribe of
South American Indians*)

guardar to keep, bear,
store; —se to keep

la guardia guard; duty; entrar de —, to enter on
guard duty; de —, on

guard; **la Guardia civil**
state police, mounted
police, police

el **guerrero** warrior

el **guía** guide

gusta *3. sg. pres. ind. of*
gustar; me gusta I like

gustar *impersonal* to please

el **gusto** pleasure

H

ha *2. and 3. sg. pres. ind. of*
haber

haber to have; *used im-
personally* (there) to be;
— **de** to have to, be to:
ha ¹ **de venir** he is to
come

había *3. sg. imp. ind. impersonal form of* **haber**
there was, there were

habían *3. pl. imp. ind. of*
haber

habiendo *pres. part. of*
haber

la **habitación** room

el **habitante** inhabitant

habitar to live in

habla *3. sg. pres. ind. of*
hablar

hablaban *3. pl. imp. ind.
of* **hablar**

hablando *pres. part. of*
hablar

hablar to speak, talk

hable *2. sg. imper. of* **hablar**

habría *2. and 3. sg. cond. of*
haber to have

hace *3. sg. pres. ind. of*
hacer; — **un minuto** a
moment ago

hacen *3. pl. pres. ind. of*
hacer

se **hacen** *3. pl. pres. ind. of*
hacerse to become

hacendoso, –a active, in-
dustrious

hacer to do, make; — **calor
(frío)** to be warm (cold);
— **constar** to affirm; —
daño a to harm; —
ejercicio to take exercise; —**falta** to be necessary; — **el relevo** to
order the relief; —
viajes to take trips; **no**
— **caso** not to pay attention; **tener mucho que**
—, to be very busy; —**se**
to become; —**se añicos**
to break to bits

hacia towards; — **fuera**
out, outside; — **arriba**
up, upward

hacía *3. sg. imp. ind. of*
hacer; — **tres días que**
it was three days that

hacían *3. pl. imp. ind. of*
hacer

haciéndole = **haciendo** + **le**
making him

el **hacha** *f.* ax

haga *2. sg. imper. of* **hacer**
to do; **hágame** = **haga** +
me do me; **háganos** =
haga + **nos** do us

hallar to find; —**se** to be
found, be

han *3. pl. pres. ind. of* **haber**

haremos *1. pl. fut. ind. of*
hacer

haría *3. sg. cond. of* **hacer**

has *2. sg. pres. ind. of* **haber**

hasta up to, as far as, even

hay *3. sg. pres. ind. impersonal form of* haber there is, there are

haz *2. sg. imper. of* hacer; hazle = haz + le make him

el haza *f.* farm land

he *1. sg. pres. ind. of* haber

el hecho happening, occurrence

hecho *p.p. of* hacer to make, do

helar (ie) to freeze, chill

la hélice propeller

hemos *1. pl. pres. ind. of* haber to have

Hércules *prop. n.* Hercules

heredar to inherit

la herencia inheritance, legacy

la herida gash, breach

herido, –a wounded

herir (ie) to wound

la hermana sister

el hermano brother

hermoso, –a beautiful, handsome; magnificent

el héroe hero

Herrera *prop. n.*

hice *1. sg. pret. ind. of* hacer to make

hicieron *3. pl. pret. ind. of* hacer; se — añicos broke to bits

la hija daughter

el hijo son

el hilo strand, thread

el himno hymn

la historia history, story

hizo *3. sg. pret. ind. of* hacer to make, do

el hocico snout, muzzle

la hoja leaf

el hombre man

el hombro shoulder; encogerse de —s to shrug one's shoulders

la honra honor

honrado, –a honorable, honest, honored, respectable

la hora hour

horizontal horizontal

horrible horrible, terrible

el horror horror, fear

horrorizado, –a terrified, horrified

hoy today; de — en adelante from today on

el hoyo pit, grave

hubieron *3. pl. pret. ind. of* haber to have

hubo *3. sg. pret. ind. of* haber; *impersonal* there was, there were

el hueco gap, void; por el — de la escalera over the banister

la huella footprint, track

el huérfano orphan

el huésped host

huír to flee

humano, –a human

húmedo, –a damp

la humildad modesty

humillado, –a humiliated

humorado, –a humorous; mal —, in bad humor

hundirse to sink, disappear

el huracán hurricane

huyeron *3. pl. pret. ind. of* huír to flee

huyó *3. sg. pret. ind. of* huír

I

iba *3. sg. imp. ind. of* **ir**
to go; **se —,** *3. sg. imp.
ind. of* **irse** to go away
íbamos *1. pl. imp. ind. of*
ir to go
iban *3. pl. imp. ind. of* **ir**
Ibo *prop. n.*
la **idea** idea, notion
el **idioma** language
ido *p.p. of* **ir** to go
la **iglesia** church
ignorante ignorant
ignorar not to know, to be
ignorant of
igual similar
igualmente equally
iluminarse to light up
Ima *prop. n.*
la **imaginación** imagination
imaginarse to imagine;
**imaginándose = imagi-
nando + se** imagining
impaciente impatient
el **imperfecto** imperfect
el **imperio** empire
imponer to impose; **—se**
to assert oneself over
importa *3. sg. pres. ind. of*
importar to be impor-
tant
la **importancia** importance
importante important, bril-
liant; extraordinary
importar to be important,
concern, interest
imposible impossible
la **imprenta** press, printing
office
impresionado, –a moved,
impressed

imprevisor, –ora heedless,
careless
impulsado, –a impelled
impulsivo, –a impulsive
inanimado, –a lifeless, un-
conscious
el **Inca** Inca (*a king of the
early Peruvian Indians*)
se **inclina** *3. sg. pres. ind. of*
inclinarse to lean
inclinado, –a bending
incógnito, –a unknown; **de
—,** in disguise
inconsolable inconsolable
indefinible indescribable,
indefinable
indicar to indicate
el **indicio** sign, indication
indignado, –a indignant
indio, –a Indian; **el —o,
la —a** Indian
indiscutible unquestionable
inerte lifeless, inert
inestimable priceless, inestimable
el **inexperto** inexperienced
person
infantil childish
el **infierno** hell
el **ingenio** ingenuity, resource-
fulness
Inglaterra *f.* England
el **inglés** English
el **ingrediente** ingredient, element, part
la **iniciativa** initiative
inmediatamente immediately
inmortal immortal
inmóvil motionless
inocente simple, harm-
less

inquieto, –a uneasy, worried

la inquietud uneasiness, anxiety

insaciable greedy, insatiable, grasping

insistiendo *pres. part. of* insistir to insist

insistió *3. sg. pret. ind. of* insistir

inspirado, –a inspired

se instaló *3. sg. pret. ind. of* instalarse to place oneself

el instante moment

el instrumento instrument

la integridad honesty, fidelity

íntegro, –a honest

la inteligencia intelligence

inteligente intelligent

la intención intention; con —, on purpose

intentar to set out, begin

interesar to interest

el interior interior

interno, –a boarding (pupil)

interpretado, –a interpreted, explained

interrogativo, –a interrogative

interrumpir to interrupt, break; mark

íntimo, –a intimate

intrépido, –a fearless, courageous

la intriga intrigue

intrigado, –a curious

inútil useless

inutilizar to render useless, disable

el invasor invader

inventar to invent, think up; arrange

el invierno winter

invitar to invite

invitó *3. sg. pret. ind. of* invitar

invoco *1. sg. pres. ind. of* invocar to implore

ir to go; —se to go away: —se a pique to sink

la ira anger

iré *1. sg. fut. ind. of* ir to go; me —, *1. sg. fut. ind. of* irse to go away

irritarse to become furious

izar to hoist, pull up

izquierdo, –a left

J

jadear to pant

jamás never, at no time

el jamón ham

el jardín garden

la jarra earthen jar, jug, pitcher

el jarro earthen vessel, jar

el jefe chief

Joaquín *prop. n.* Joaquin

José *prop. n.* Joseph

Joselito *dim. of* José Joseph, Joe

joven young; el —, young man; la —, young lady

la joya jewel

Juan *prop. n.* John

Juanita *prop. n.* Jenny

Juanón *prop. n.* Big John

el júbilo joy

el juego gambling, card game

el juez judge

jugar (ue) to play

juntar to join, clasp; —se to clinch

junto near; — a near, close to, beside; — con together with

junto, -a connected, joined; *pl.* together

el **juramento** oath, curse

jurar to swear

la **justicia** justice, law

L

la *art. & pron.* the, it, her, his

el **labio** lip

el **lacayo** lackey, footman

la **ladera** slope

el **lado** side, direction; del — de on the side of; ponerse del — de to join forces with

ladrando *pres. part. of* ladrar

ladrar to bark

el **ladrido** barking

el **ladrón** robber, thief

el **lago** lake

la **lágrima** tear

el **lamento** lament, plaint

la **lámpara** lamp

se **lanza** *3. sg. pres. ind. of* lanzarse to plunge, dash

lanzan *3. pl. pres. ind. of* lanzar to utter, emit

se **lanzan** *3. pl. pres. ind. of* lanzarse

lanzar to leave go; utter, emit; throw, cast; —se to plunge, dash, leap, throw oneself

largo, -a long; deep, prolonged

las *art. & pron.* the, them

le *pron. sg. m. or f.* him, her, you; to *or* for him, her, you

la **lección** lesson

la **leche** milk

lee *3. sg. pres. ind. of* leer

leer to read

el **legado** legacy

la **legua** league, mile

leído *p.p. of* leer to read

lejano, -a far, distant

lejos far, afar

la **lengua** language

lentamente slowly

la **lentitud** slowness; con —, slowly

la **leña** wood

el **leño** log, firewood

levantar to raise, pick up; —se to get up, rise

me **levanté** *1. sg. pret. ind. of* levantarse

leve slight

la **ley** law

la **leyenda** legend

leyendo *pres. part. of* leer to read

leyó *3. sg. pret. ind. of* leer

la **libertad** liberty

librar to deliver, free; —se to free oneself, break loose

libre free

la **librería** book store, book shop

el **libro** book

ligeramente slightly

el **límite** limit, bound

la **limosna** alms

limpiarse to wipe

lindo, -a pretty

la **línea** line; — **de flotación**
water line

la **linterna** lantern, lamp

liso, -a smooth

lo art. & pron. the, it, him;
— **que** what, that which

el **lobo** wolf

loco, -a mad; el —, mad-
man

lograr to succeed

la **loma** hillock, elevation

López prop. n. Lopez

los, las art. & pron. the,
them

luces pl. of **luz** light

Lucía prop. n. Lucy

la **lucha** struggle, battle,
fight

luchar to struggle, fight

luego afterwards, then; —
que as soon as

el **lugar** place, village, town

luminoso, -a glowing

la **luna** moon

la **luz** light, flame

Ll

llama 3. sg. pres. ind. of
llamar to call, summon,
knock

llamaba 3. sg. imp. ind. of
llamar

llamado, -a called, named

llámame = **llama** + **me** call
me

llamándola = **llamando** + **la**
calling her

llamar to call, summon,
knock; — **le** to call him;
— **se** to be called, be
named; ¿ **cómo te lla-**

mas? what is your
name?

llamó 3. sg. pret. ind. of
llamar

el **llanto** crying, weeping,
tears

llega 3. sg. pres. ind. of
llegar to arrive

la **llegada** arrival

llegar to reach, arrive; fall;
— **a** to reach

llegaron 3. sg. pret. ind. of
llegar

llegué 1. sg. pret. ind. of
llegar

llenar to fill; — **se** to be
filled

lleno, -a full, filled

llevan 3. pl. pres. ind. of
llevar

llevar to take, carry, have,
lead, bring, keep; — **ven-**
taja a to be in the lead
of, have the better of,
be ahead of; — **se** to get
along, carry off, take
along; **llevárselo** = **lle-**
var + **se** + **lo** to take it
along

lleve 2. sg. imper. of **llevar**;
llévela = **lleve** + **la** take it

llevó 3. sg. pret. ind. of
llevar

llorar to cry

lloroso, -a weeping, tearful

llover (ue) to rain

lloverá 3. sg. fut. ind. of
llover (ue)

llovería 3. sg. cond. of
llover (ue)

llovió 3. sg. pret. ind. of
llover (ue)

la **lluvia** rain
lluvioso, –a rainy

M

la **madera** wood
la **madre** mother
Madrid Madrid (*capital of Spain*)
la **madrugada** dawn
maestro, –a masterly; **obra —a** masterpiece
mágico, –a magic, weird, mystic
magnífico, –a magnificent, fine
Mairena *prop. n.*
mal badly
la **maldición** curse
maldijo *3. sg. pret. ind. of* **maldecir** to curse
malo, –a bad, evil
la **mamá** mother
la **mancha** stain, blotch
manda *3. sg. pres. ind. of* **mandar**
el **mandadero** porter, messenger boy
mandar to send, request, command
manejar to run, manage
la **manera** manner, way
la **manga** sleeve
la **mano** hand; **darse la —,** to shake hands
la **manta** blanket
mantener to keep, support
mañana tomorrow
la **mañana** morning; **por la —,** in the morning
mar *m. or f.* ocean; **golpe de —,** toss of the waves

maravilloso, –a marvelous
la **marcha** course, march; **¡ en — !** forward march !
marchar to march, walk; **—se** to go away
María *prop. n.* Mary
el **marido** husband
el **marinero** sailor, seaman
el **marino** seaman
el **mármol** marble
el **martirio** torture
marzo *m.* March
más more, most; **no . . . —,** no (any) . . . longer; **no llama —,** he does not call any longer
el **mastín** mastiff
matar to kill
mato *1. sg. pres. ind. of* **matar**
el **matrimonio** married couple, husband and wife
mayor greater, larger; greatest, more; **el —,** elder
me me, to (for, of) me, myself
medio, –a half; **a —a voz** in a whisper; **—a noche** midnight; **el —,** middle; **en — (de)** in, in the midst of
la **meditación** thought
meditar to think
mejor better, best
mejorar to improve
melancólico, –a melancholy, sad
menor younger; slightest
menos less
el **mensaje** message
el **mensajero** messenger

la **mente** mind
mentir (ie) to lie
el **mercader** merchant
merecer to deserve, merit
el **mes** month
la **mesa** table, desk
el **metal** metal
meter to put; —se to place oneself
metódicamente methodically, systematically
el **metro** meter (*a measure of length, a little over 39 inches*)
mezclar to mingle; —se to associate, mingle
mi(s) my
mí *pers. pron.* me
el **miedo** fear; **tener —** (a) to be afraid (of)
mientras while
mil one thousand
milagroso, –a marvelous, miraculous
el **millón** million
minado, –a undermined, wrecked
la **miniatura** small painting
el **minuto** minute
el **mío, la mía** mine
mira *3. sg. pres. ind. of* **mirar** to look (at), see
mirábamos *1. pl. imp. ind. of* **mirar**
la **mirada** glance, look
mirado *p.p. of* **mirar**
miramos *1. pl. pres. and pret. ind. of* **mirar**
mirar to look(at), see; —los = **mirar + los** to look at them; —me = **mirar + me** to look at me

la **mirilla** peephole
el **mirlo** blackbird
miró *3. sg. pret. ind. of* **mirar**
miserable miserable
la **misión** mission
mismo, –a same; very, as well as; oneself
el **misterio** mystery
misterioso, –a mysterious, peculiar, weird
la **mitad** middle, half
el **modo** method
la **molestia** bother, annoyance, disturbance, trouble
Molina *prop. n.*
el **momento** moment
la **moneda** money, coin
el **monje** monk
el **monstruo** monster
montado *p.p. of* **montar** to mount, ride
la **montaña** mountain
Montañés *prop. n.*
montar to mount, ride; raise, aim
el **monte** hill
el **montón** heap
Morato *prop. n.*
morder (ue) to bite; —se to bite
el **mordisco** bite
morir (ue) to die
morirá *3. sg. fut. ind. of* **morir**
el **moro** Moor
el **mostrador** counter
mostrar (ue) to show
el **motivo** reason
mover (ue) to move, shake
el **movimiento** movement
la **moza** young girl

la **muchacha** (little) girl

el **muchacho** (little) boy; young man

mucho, –a much; *pl.* many

el **mueble** furniture

la **mueca** grimace

muerde *3. sg. pres. ind. of* **morder** (ue) to bite

la **muerte** death

muerto *p.p. of* **morir** (ue) to die; *adj.* dead

muestra *3. sg. pres. ind. of* **mostrar** (ue) to show

la **mujer** woman, wife

el **mundo** world; **todo el —,** everybody

murió *3. sg. pret. ind. of* **morir** (ue) to die

murmuró *3. sg. pret. ind. of* **murmurar** to mumble, murmur; object

el **muro** wall

muy very, quite, very much

N

la **nación** nation

nada nothing, not . . . anything; **— qué comer** nothing to eat

nada *3. sg. pres. ind. of* **nadar** to swim

nadie nobody

natural native

la **naturalidad** plainness; candor, truthfulness

naturalmente naturally

el **náufrago** shipwrecked person

navegar to sail

necesario, –a necessary

necesita *3. sg. pres. ind. of* **necesitar**

necesitar to need

negativo, –a negative

el **negocio** business; **hacer —,** to do business, strike a bargain

negro, –a black

nervioso, –a nervous; deliberate, conscious, determined

la **nevada** snowfall

nevado, –a snowy

nevar (ie) to snow

ni not, not even, nor; **no . . . —,** not . . . nor

Nicolás *prop. n.* Nicholas

la **nieta** granddaughter

la **nieve** snow

ningún, ninguno, –a no, none; **en —a parte** nowhere

la **niña** (little) girl

el **niño** (little) boy

el **nivel** level

no no, not; **— . . . más** no (any) . . . longer; **si —,** otherwise; **— . . . ni** not . . . nor

noble noble, respectable; **el —,** prince, chief

la **noche** night; **de —,** after sunset, dark; **media —,** midnight

nombrado *p.p. of* **nombrar** to appoint, nominate; **han — a Pérez** Perez was appointed

el **nombre** name

Noreña *prop. n.*

el **norte** north

nos us, for us, to us

nosotros, –as we, us

la nota note, mark; —s de sobresaliente excellent marks

notar to notice, note

la noticia news

notó *2. and 3. sg. pret. ind.* of notar to notice

nublarse to darken

la nuera daughter-in-law

nuestro, –a our

nuevamente again

nueve nine

nuevo, –a new; de —, again

numeroso, –a large

nunca never, at no time

O

o or; — . . . —, either . . . or

obedecer to obey

el objeto object, thing

oblicuo, –a crooked, slanting, oblique

obligado, –a obliged

la obra deed, work; — maestra masterpiece

la obscuridad darkness

obscuro, –a dark, gloomy

la observación observation

observó *3. sg. pret. ind.* of observar to observe, say

el obstáculo obstacle, obstruction, projection, opposition

obstante: no —, nevertheless

obtener to obtain, get

obtuvo *3. sg. pret. ind.* of obtener

la ocasión occasion, chance, opportunity

el océano ocean

ocultar to hide; —se to hide

oculto, –a hidden

ocupan *3. pl. pres. ind.* of ocupar

ocupar to fill, occupy, hold (*a position*); —se de to bother about

ocupas *2. sg. pres. ind.* of ocupar

ocurrió *3. sg. pret. ind.* of ocurrir

ocurrir to occur, happen, take place; ¿ qué te ocurre ? what is the matter with you ?

ocho eight; — días a week

odiar to hate

el odio hatred, anger, ill will, malice

la oferta offer

el oficial officer

el oficio trade, duty, occupation, profession, calling

ofrecer to offer; —se to offer oneself, volunteer

ofrecía *3. sg. imp. ind.* of ofrecer

oí *1. sg. pret. ind.* of oír

oído, –a heard; *p.p.* of oír

el oído ear

oiga *2. sg. imper. ind.* of oír

oír to hear, listen; —se to be heard

el ojo eye; — de la cerradura keyhole

la ola wave, flood, flow

el olivar olive grove, olive orchard

el olivo olive tree
olvidar to forget
omitir to omit
opaco, –a dark, gloomy
la operación action
la oportunidad opportunity
oportuno, –a opportune, convenient
ora: — ... —, now ... now
la oración sentence
la orden command, order; a sus órdenes at your service
ordenar to order, command
la oreja ear
el orgullo pride
el oro gold, money
os you
osar to dare
el oso bear
otro, –a another, other; —a vez once more
el óvalo oval
la oveja sheep
oye 2. sg. imper. of oír to listen, hear
oyen 3. pl. pres. ind. of oír; se —, 3. pl. pres. ind. of oírse to be heard
oyeron 3. pl. pret. ind. of oír
oyó 3. sg. pret. ind. of oír; se —, 3. sg. pret. ind. of oírse

P

la paciencia patience
el pacto agreement
el padre father
paga 3. sg. pres. ind. of pagar

pagar to pay
el pago payment
pagó 3. sg. pret. ind. of pagar
el país country
el pájaro bird
la palabra word
el palacio palace
pálido, –a pale
el palo beating
palpitar to beat
Pamplona the capital of Navarre, at the foot of the Pyrenees
el pan bread
el pánico panic
el paño cloth
el pañuelo handkerchief
el papel paper
para in order to, for, to; ¿ — qué? why? for what purpose?; — sí to himself
el Paraguay Paraguay (a republic of South America)
el paraje spot, place
parar to stop
parece 3. sg. pres. ind. of parecer
parecer to appear, seem
la pared wall
la pareja pair, male and female
la parte part, portion; en ninguna —, nowhere; en todas —s everywhere, all over
particular peculiar, odd
la partida robber band
partir to leave, depart
pasa 3. sg. pres. ind. of pasar to pass

el **pasadizo** passage

pasado, -a past, last; old; *p.p. of* **pasar** to pass

el **pasajero** passenger

pasan *3. pl. pres. ind. of* **pasar**

pasando *pres. part. of* **pasar**

pasar to pass, spend; — **por** to slip over; —**se** to spend, be spent

paseándose = **paseando** + **se** roaming

pasear to walk, march, pace; —**se** to walk, take a walk, roam

el **paseo** walk; **dar un** —, to take a stroll

el **pasillo** aisle, corridor, hall

la **pasión** passion; **con** —, passionately, intensely

el **paso** step, footstep

se **pasó** *3. sg. pret. ind. of* **pasarse** to spend

el **pastor** shepherd

la **pata** hind leg, paw

el **patio** inner court

la **patria** native land

el **patrón** patron, patron saint

la **paz** peace

el **pecho** chest

pedía *3. sg. imp. ind. of* **pedir** (i) to ask for, beg

pedido *p.p. of* **pedir** (i)

pedir (i) to ask for, beg

Pedro *prop. n.* Peter

pegue *2. sg. imper. of* **pegar** to fire, shoot, strike

la **pelea** fight; **buscar** —, to be ready to fight

pelear to fight

el **peligro** danger

el **pelotón** platoon, division

penetrar to enter, go further

el **pensamiento** thought

pensar (ie) to think; — **en** to think of, think about

pensativo, -a thoughtful, pensive

la **penumbra** gloom, darkness, half light

Pepe *prop. n.* Joe

Pepín *prop. n.* Joe

pequeño, -a little, small

perder (ie) to lose, disappear; —**se** to lose oneself, disappear

la **pérdida** loss

perdido *p.p. of* **perder** (ie)

la **perdiz** partridge

el **perdón** pardon

perdonar to pardon

perdone *2. sg. imper. of* **perdonar**

perecer to perish

Pérez *prop. n.* Perez

perfectamente very well

perfecto, -a perfect

el **perfume** perfume

Perico *prop. n.* Peter

la **perla** pearl

permanecer to remain

el **permiso** permission

permitir to permit

pero but

perplejo, -a perplexed

el **perseguidor** persecutor

la **persona** person

el **personaje** person

la **perrera** kennel, dog house

el **perro** dog; — **de Terranova** Newfoundland (dog); **la casilla del** —, kennel, dog house

pesar to weigh

el **pesar** sorrow; **a — de** in spite of

la **peseta** *Spanish coin worth about 20 cents*

el **peso** weight

piadoso, –a pious, religious

el **pícaro** rascal, scoundrel

pide *2. and 3. sg. pres. ind. of* **pedir** (i) to ask, beg

pidiendo *pres. part. of* **pedir** (i)

pidieron *3. pl. pret. ind. of* **pedir** (i)

pidió *3. sg. pret. ind. of* **pedir** (i)

pido *1. sg. pres. ind. of* **pedir** (i)

el **pie** foot; **a —,** on foot; **al —,** at the foot, below

la **piedra** stone

la **piel** fur; skin

piensa *3. sg. pres. ind. of* **pensar** (ie) to think

la **pierna** leg

la **pieza** room

pillar to capture

el **pincel** brush

pintado, –a painted

pintar to paint

el **pintor** painter

la **pintura** paint, painting

la **pipa** pipe

pique : irse a —, to sink

los **Pirineos** Pyrenees (*high chain of mountains forming the boundary between France and Spain*)

pisar to march, invade

el **piso** floor, story

la **pista** track, race track

la **pistola** pistol

el **placer** pleasure

el **plan** plan

la **plata** silver

el **plato** plate

la **plaza** place; **— gratuita** scholarship

la **plegaria** prayer, supplication

la **pluma** feather

pobre poor; **el —,** poor person

poco *adv.* (a) little; **— a —,** slowly, gradually

poco, –a little, short; *pl.* few, some

podado *p.p. of* **podar** to prune

poder (ue) to be able to, can, might

el **poder** power, possession

poderoso, –a powerful

podía *3. sg. imp. ind. of* **poder** (ue)

podido *p.p. of* **poder** (ue)

pudimos *1. pl. pret. ind. of* **poder** (ue)

podrá *3. sg. fut. ind. of* **poder** (ue)

podrán *3. pl. fut. ind. of* **poder** (ue)

podrás *2. sg. fut. ind. of* **poder** (ue)

podría *2. sg. cond. of* **poder** (ue)

la **policía** police; **agente de —,** detective, officer

el **polvo** dust

el **pollo** chicken

poner to put; **—se** to place oneself, become; set (*of sun*); **—se del lado de** to join forces with

por at, over, over there, on, to, by, through, for, in, as; — **allí** around there, near there; — **aquí** around here; — **fin** at last; — **eso** for that reason; ¿ — **qué?** why?

porque because

el **portero** housekeeper, servant, gatekeeper, janitor

el **Portugal** *prop. n.* Portugal

el **porvenir** future

poseer to possess, own; —**lo** = **poseer** + **lo** to own it

posible possible

el **poyo** stone bench

el **pozo** well

practicable passable, possible

Pravia *prop. n.*

la **precaución** precaution

el **precio** price

precioso, –a precious, valuable

precipitarse to rush

precisamente exactly

preciso, –a necessary

la **preferencia** preference, partiality

preferir (ie) to prefer

prefiere *3. sg. pres. ind. of* **preferir (ie)**

prefiero *1. sg. pres. ind. of* **preferir (ie)**

se **pregonó** *3. sg. pret. ind. of* **pregonarse** to make public, proclaim

la **pregunta** question

pregunta *3. sg. pres. ind. of* **preguntar**

preguntar to ask, ask for

preguntaron *3. pl. pret. ind. of* **preguntar**

pregunté *1. sg. pret. ind. of* **preguntar**

preguntó *3. sg. pret. ind. of* **preguntar**

el **premio** prize, reward; **de** —, as a reward

prender to take, arrest

preocupar to worry

preparar to prepare; —**se a** to get ready to

la **presencia** presence; conference, council

presenta *3. sg. pres. ind. of* **presentar**

presentar to make, present, show, offer, give; —**se** to come, appear

presente present

preservarse to guard oneself, protect oneself

prestar to lend; — **atención** to listen intently, strain one's ears

presuntuoso, –a presumptuous

pretende *3. sg. pres. ind. of* **pretender** to claim

el **pretérito** preterit

primer(o), –a first; **de primera** first class

principal main

principia *3. sg. pres. ind. of* **principiar**

principiar to begin

el **principio** beginning

el **prior** prior, superior of a monastery

la **prisa** hurry, haste

el **prisionero** prisoner, captive

privar to deprive

probar (ue) to try; show, prove; —se to try on

el problema problem

proceder to issue, come from

el proceso lawsuit

procurar to try, manage, see to it

el prodigio marvel

producir to produce, have

el producto product

el profesor teacher

la profundidad depth

profundo, –a deep, low

prohibir to forbid

prolongado, –a prolonged

la promesa promise

prometer to promise

prometido p.p. of prometer

prometió 3. sg. pret. ind. of prometer

pronto soon, immediately; de —, suddenly, all of a sudden, forthwith

pronto, –a ready

pronunciar to pronounce

la propiedad quality

propio, –a own

propósito: a —, by the way

el protector defender, guardian

el protegido protégé, friend, charge

la protesta protest

provenir to be caused

la provincia province

las provisiones provisions

provisto, –a provided with

el proyecto plan

prudente prudent, careful

la prueba proof

prueban 3. pl. pres. ind. of

probar (ue) to show, prove

público, –a public; el —, audience

pudo 3. sg. pret. ind. of poder (ue) to be able to, can

el pueblecillo small town, village

el pueblo small town, village, town, land, province

puede 2. and 3. sg. pres. ind. of poder (ue) to be able, can, may

pueden 2.and 3. pl. pres. ind. of poder (ue) may, can

puedes 2. sg. pres. ind. of poder (ue) may, can

puedo 1. sg. pres. ind. of poder (ue) may, can

el puente bridge

la puerta door, gate

el puerto port

pues well, then, therefore

puesto p.p. of poner to put; adj. fitting, appropriate

el puesto place, post

el punto point, place, spot

el puñetazo punch, blow

puro, –a pure

puse 1. sg. pret. ind. of poner to put

pusieron 3. pl. pret. ind. of poner

puso 3. sg. pret. ind. of poner; se —, 3. sg. pret. ind. of ponerse to place oneself, become

Q

que rel. pron. who, which, that; lo —, what, which,

that which; **el** —, **la** —,
the one who
que *conj.* than, to, that
¿ qué ? *interr. pron.* what·?
what kind of ? **¿ — tal ?**
how ? **¿ para —?** why ?
for what purpose ? **¡ —!**
how ! what (a) ! **¡ —
animal tan raro !** what a
rare animal ! **nada —
comer** nothing to eat
la **quebrada** ravine, gorge
queda *3. sg. pres. ind. of*
quedar
quedan *3. pl. pres. ind.
of* **quedar**
quedar to remain; **—se** to
remain
quedo *adv.* quietly
se **quedó** *3. sg. pret. ind. of*
quedarse
la **queja** complaint
querer (ie) to want, wish;
— **a** to like, be fond of
quería *3. sg. imp. ind. of*
querer (ie)
querido, –a dear, beloved,
cherished
el **queso** cheese
quien, –es *rel. pron.* who,
whom
¿ quién, –es ? *interr. pron.*
who ? whom ? **¿ de —?**
whose ?
quiere *3. sg. pres. ind. of*
querer (ie) to want,
wish; like, be fond of
quieres *2. sg. pres. ind. of*
querer (ie)
quiero *1. sg. pres. ind. of*
querer (ie); **lo — mucho**
I am very fond of him

quieto, –a quiet
quince fifteen; **— días** two
weeks, fortnight
quinto, –a fifth
yo **quisiera** I should like to
(*from* **querer**)
quisieron *3. pl. pret. ind.
of* **querer** (ie) to want
to
quiso *3. sg. pret. ind. of*
querer (ie)
quitar to take off, take
away; **quitarle = quitar
+ le** to take off from his
back; **—se** to take off
me **quité** *1. sg. pret. ind. of*
quitarse
quizá(s) perhaps

R

la **rama** branch
Ramona *prop. n.*
rápidamente quickly, rap-
idly
rápido, –a quick
raro, –a rare, strange; **¡ qué
animal tan —!** what a
rare animal !
se **rasca** *3. sg. pres. ind. of*
rascarse
rascándose *pres. part. of*
rascarse
rascar to scratch; **—se** to
scratch oneself
el **rato** moment, while
el **rayo** ray, flash; **salir como
el —**, to go like a shot
la **raza** race
la **razón** reason; **tengo —**, I
am right; **usted tiene
—**, you are right

real royal; camino —, highway

la realidad reality

reavivar to revive, reani-
mate, stir up

la rebaja reduction, rebate

rebajar reduce, lower; rebajarme = rebajar + me
to lower (for me)

rebuznar to bray

el recelo misgiving, fear

recibe 3. sg. pres. ind. of
recibir

recibió 3. sg. pret. ind. of
recibir

recibir to receive, take;
catch; recibirle = recibir
+ le to receive him

recibirá 3. sg. fut. ind. of
recibir

recio, –a sound, hard; powerful

recobraba 3. sg. imp. ind.
of recobrar

recobrar to recover, gain

recobró 3. sg. pret. ind. of
recobrar

recoge 3. sg. pres. ind. of
recoger

recogen 3. pl. pres. ind. of
recoger

recoger to collect, gather,
rescue, pick up, seize,
grasp; —se to roll
up

la recompensa reward

recompensar to reward

reconocer to recognize

reconociendo pres. part. of
reconocer

recordaba 3. sg. imp. ind. of
recordar (ue)

recordar (ue) to recall,
remember

recordé 1. sg. pret. ind. of
recordar (ue)

recordó 3. sg. pret. ind. of
recordar (ue)

recuerda 3. sg. pres. ind. of
recordar (ue)

el recuerdo souvenir

referir (ie) to tell

refiere 2. and 3. sg. pres.
ind. of referir (ie)

reflejar to reflect

regalar to give, present with

el regalo present

la región region, country,
locality

regresa 3. sg. pres. ind. of
regresar

regresar to return, come
back

rehacer to make over

rehusar to refuse

se reían (de) 3. pl. imp. ind.
of reírse (de)

reinar to reign

el reino land, country

reír to laugh; —se (de) to
laugh (at)

relatar to relate, tell

el relato story

el relevo relief; hacer el —,
to order the relief

la religión religion

el remo oar; a fuerza de —,
bending over the oars

el rencor grudge

la rendija crack, cleft

reñir to quarrel, fight

repasan 3. pl. pres. ind. of
repasar to review

el repaso review

repente: de —, suddenly

repentino, -a sudden

repetía 3. sg. imp. ind. of repetir (i)

repetir (i) to repeat

repite 3. sg. pres. ind. of repetir (i)

repitió 3. sg. pret. ind. of repetir (i)

repito 1. sg. pres. ind. of repetir (i)

repleto, -a full (of), filled (with)

representa 3. sg. pres. ind. of representar to picture, represent

la república republic

requería 3. sg. imp. ind. of requerer (ie) to require

rescatar to ransom

el rescate ransom

la resistencia strength, resistance

resistir to resist, bear, stand, endure, undergo

la resolución decision

resolvió 3. sg. pret. ind. of resolver (ue) to solve

resonar (ue) to sound, resound

respectivo, -a respective

respetado, -a respected, honored

el respeto respect

la respiración breath, breathing

el resplandor glow, glare

responder to answer

respondieron 3. pl. pret. ind. of responder

la respuesta answer

restablecido, -a re-established, restored

el resto rest, remainder

resuelto, -a determined

el resultado result

retirar to retire, go back; —se to withdraw, pull away, go home

retorcerse (ue) to wind

el retrato portrait, picture

retroceder to draw back

reunido p.p. of reunir to unite, gather

revelar to reveal, disclose

revolcarse to twist, writhe

el revólver revolver

el rey king

rezar to pray

rico, -a rich; el —, rich man

riendo pres. part. of reír to laugh

rígido, -a rigid

el rincón corner

ríndase 2. sg. imper. of rendirse (i) to surrender

la ringlera row

riñen 3. pl. pres. ind. of reñir to quarrel

el río river

rió 3. sg. pret. ind. of reír to laugh

la riqueza riches

riquísimo, -a very rich, precious; treasure-laden

robado p.p. of robar; adj. stolen

robar to steal

el robo robbery

la roca rock

rodeado, -a surrounded

la rodilla knee

romper to break, tear; —**se** to tear, break

se **rompió** *3. sg. pret. ind.* of **romperse**

roncar to snore; — **como un bendito** to snore like a pig

ronco, –a hoarse

Ronda *a city in Andalusia*

el **ronzal** halter, bridle

la **ropa** clothing

Rosa *prop. n.* Rose

roto *p.p.* of **romper** to tear, break loose; *adj.* torn, broken loose

Rubens Peter Paul (*Flemish painter*, 1577–1640)

rubio, –a light brown, tawny

rudo, –a hard, strong, capable

la **rueda** ring, circle

el **ruego** plea, entreaty

el **ruido** noise

el **rumbo** bearing, course, direction

el **rumor** noise, murmur

la **ruta** route, way

S

sabe *2. and 3. sg. pres. ind.* of **saber**

saben *2. and 3. pl. pres. ind.* of **saber**

saber to know; —**se** to be known

el **sabio** scientist

el **sable** sword

saca *3. sg. pres. ind.* of **sacar**

sacando *pres. part.* of **sacar**

sacar to take, take out, draw, produce

el **sacerdote** priest

el **saco** bag, sack; **carrera en** —**s** sack race

el **sacrificio** sacrifice

sacudir to shake; tap

sagrado, –a sacred

sal *2. sg. imper.* of **salir** to come out

la **sala** large room

sale *3. sg. pres. ind.* of **salir** to go out, come out, leave

salgo *1. sg. pres. ind.* of **salir**

salía *3. sg. imp. ind.* of **salir**

la **salida** exit, departure

salió *3. sg. pret. ind.* of **salir**

salir to go out, come out, go, leave; — **como el rayo** to go like a shot

Salomón *prop. n.* Solomon

saltado *p.p.* of **saltar**

saltan *3. pl. pres. ind.* of **saltar**

saltando *pres. part.* of **saltar**

saltar to jump, leap, skip, vault

el **salteador** highwayman, robber, bandit

el **salto** jump, hop, leap

la **salud** health

saludar to greet

salva *3. sg. pres. ind.* of **salvar**

la **salvación** rescue, deliverance

salvaje savage, fierce

el **salvamento** rescue

salvar to save, rescue; —se to save oneself

salvo, –a safe, healthy; **sano y** —, safe and sound

san *see* **santo**

la **sangre** blood

sano, –a sound, hale, healthy; whole; — **y salvo** safe and sound, healthy

santo, –a holy; el —, saint, saint's day

el **sargento** sergeant

satisfecho, –a satisfied

se (for) oneself; *often with verbs in 3. sg. or pl. and used for the passive voice or equivalent to the active construction with the indefinite subject one, they, you:* **se habla español** Spanish is spoken

sé *1. sg. pres. ind. of* **saber** to know

sea *2. sg. imper. of* **ser** to be

la **sección** division

seco, –a dry

el **secreto** secret

la **sed** thirst

Segovia *a city in central Spain*

seguida: en —, immediately

seguido, –a followed, consecutive, in succession

seguir (i) to follow, continue, go on

según according to

segundo, –a second; el —, second

seguramente surely

la **seguridad** assurance, certainty

seguro, –a sure, convinced, certain

seis six

la **selva** forest, jungle

la **semana** week

semejante similar, such (a)

la **semilla** seed

el **senado** senate

el **senador** senator

sencillamente plainly, simply

el **sendero** path, trail

sentado, –a seated

sentarse (ie) to sit (down), be seated

el **sentido** meaning

el **sentimiento** feeling

sentir (ie) to feel, regret, feel sorry; **lo siento (mucho)** I feel (very) sorry

la **señal** signal, sign

señalar to point out

señor Mr. (*used but not translated before a given name or military title*); man, master, lord; **Señor** Lord

la **señora** lady, madam

la **señorita** young lady

separar to separate

sepultado *p.p. of* **sepultar** to engulf, drown; bury; *adj.* entombed

ser to be; **son las doce** it is 12 o'clock

será *3. sg. fut. ind. of* **ser**

el **servicio** service, favor

servir (i) to be of service;
— **de** to act as

sesenta sixty

setenta seventy; — **y cinco**
seventy-five

sexto, –a sixth

si if; — **no** otherwise

sí yes

sí himself, herself, it-
self; **para** —, to him-
self

siempre always, ever

sienten *3. pl. pres. ind. of*
sentir (i)

siento *1. sg. pres. ind. of*
sentir (i) to feel, regret;
lo — (**mucho**) I feel
(very) sorry

la **sierra** mountain range,
mountains

siete seven

el **siglo** century

significar to mean, portend

el **signo** sign

sigue *3. sg. pres. ind. of*
seguir (i) to follow, continue

siguen *3. pl. pres. ind. of*
seguir (i)

siguiente following

siguieron *3. pl. pret. ind.
of* **seguir** (i) to follow

siguió *3. sg. pret. ind. of*
seguir (i)

silba *3. sg. pres. ind. of*
silbar

silbar to whistle, howl

el **silencio** silence; ¡ — ! be
quiet

silencioso, –a silent

Silva *prop. n.*

la **silla** chair, seat

la **simpatía** friendliness, affection, good will

simpático, –a nice, fine

simular to plan, frame

sin without; — **embargo**
nevertheless

singular strange

sino but

sintió *3. sg. pret. ind. of*
sentir (i) to feel, regret

siquiera even; **ni** —, not
even

sirvieron *3. pl. pret. ind. of*
servir (i) to serve

sirvió *3. sg. pret. ind. of*
servir (i)

el **sitio** place; ruin

la **situación** plight; matter

situado, –a situated, lo-
cated

soberano, –a supreme

sobre on, upon, over

sobremanera beyond measure, excessively, im-
mensely

sobresaliente excellent

sobresaltado, –a startled

la **sobrina** niece

el **sol** sun

solamente only

el **soldado** soldier

solemne doleful, mournful

soler (ue) to be accustomed

sólidamente firmly

solo, –a alone, only, single

sólo only

soltar (ue) to let go (of),
release, untie, unfasten;
—**se** to let go

soltará *3. sg. fut. ind. of*
soltar (ue)

el **sollozo** sob

la **sombra** shade, darkness, shadow

sombrío, –a sunless, somber

somos *1. pl. pres. ind. of* **ser** to be

son *3. pl. pres. ind. of* **ser**

sonar (ue) to sound, resound

el **sonido** sound

sonreír (i) to smile

sonriendo *pres. part. of* **sonreír (i)**

soñar (ue) to dream

el **soplo** breath, puff

sordo, –a muffled

sorprender to surprise, overtake

sorprendido, –a surprised

la **sorpresa** surprise

sospechar to suspect

sospechoso, –a blameworthy, open to suspicion, suspicious

sostener to hold, maintain, keep, support; resist, withstand

sostiene *3. sg. pres. ind. of* **sostener**

sostuvo *3. sg. pret. ind. of* **sostener**

soy *1. sg. pres. ind. of* **ser** to be

su(s) his, her, its, their

suavemente slowly, softly, gradually

suba *2. sg. imper. of* **subir**

sube *3. sg. pres. ind. of* **subir**

suben *3. pl. pres. ind. of* **subir**

subí *1. sg. pret. ind. of* **subir**

subir to go up (to), mount,

rise, climb (up); **raise,** pull up

la **subida** ascent

subterráneo, –a underground

sucede *3. sg. pres. ind. of* **suceder** to happen, occur

sucedido *p.p. of* **suceder;** **lo —,** what (had) happened

el **suceso** event

sucio, –a dirty, soiled

suculento, –a succulent, juicy

el **sudor** sweat

sudoroso, –a perspiring

el **suelo** floor, ground

suelten *2. pl. imper. of* **soltar (ue)** to let go

el **sueño** dream, sleep; **tener —,** to be sleepy

la **suerte** luck

suficiente enough, sufficient; **lo —,** enough

sufrir to endure, bear, stand, suffer

sujeto, –a held down, pinned down

Sultán *prop. n.* Sultan

la **superficie** surface

la **súplica** request, entreaty, pleading, appeal

se **supo** *3. sg. pret. ind. of* **saberse** to be known

supremo, –a supreme, greatest

supuesto: por —, of course

suspenderse to hang (by)

suspirar to sigh

el **suspiro** sigh; **dar un —,** to heave a sigh

suyo, –a yours, his, hers,

theirs; **lo —o** what is his (food); **los —s** his men

T

la **tabaquera** snuff box

la **taberna** tavern

la **tajada** slice

tal such; ¿ **qué —?** how? **— vez** perhaps

también also, too

tampoco no. . . . either, neither

tan so, as ¡ **qué animal — raro!** what a rare animal!

Tánger Tangier (*a seaport of Morocco*)

tantear to feel, touch

tanto, –a so much, such a long, as much

la **tapia** wall

tardar to delay; **— en** to be long in

tardará *3. sg. fut. ind. of* **tardar**

tarde *adv.* late

la **tarde** evening, afternoon

la **tarjeta** calling card, visiting card

la **taza** cup

te you

el **techo** roof

temblar (ie) to tremble

tembloroso, –a tremulous, trembling

el **temor** fear

la **tempestad** storm

temprano, –a early

ten *2. sg. imper. of* **tener** to have, keep; **tenlo = ten + lo** keep him

tendido, –a stretched, extended

tendrá *2. and 3. sg. fut. ind. of* **tener**

tendré *1. sg. fut. ind. of* **tener** to have

tener to have, possess, hold; **— . . . años** to be . . . years old; ¿ **cuántos años tienes?** how old are you? **— miedo (a)** to be afraid (of); **— mucho que hacer** to be very busy; **— por cierto** to be sure, not to doubt; **— que** to have to, must; **— razón** to be right; **— sueño** to be sleepy

tengo *1. sg. pres. ind. of* **tener; — razón** I am right

tenía *1. and 3. sg. imp. ind. of* **tener**

tenido *p.p. of* **tener**

el **teniente** lieutenant; ¡ **mi —!** lieutenant!

la **tentación** temptation

tercero, –a third

Teresa *prop. n.* Theresa

terminar to end, finish

la **ternura** tenderness

Terranova *f.* Newfoundland; **perro de —,** Newfoundland (dog)

terrible terrible, great, furious

el **terrón** lump

el **terror** terror

el **tesoro** treasure

testarudo, –a stubborn

ti you

el **tiempo** time, weather

la **tienda** store

tiene *2. and 3. sg. pres. ind.*

of **tener** to have, hold; — **diez años** he is ten years old; — **mucho que hacer** is very busy; **usted** — **razón** you are right; — **que darme** you must give me

tienen *3. pl. pres. ind. of* **tener**

tienes *2. sg. pres. ind. of* **tener**; — **que** you have to, must

la **tierra** earth, ground; **en** —, on solid ground

el **tigre** tiger

la **timidez** timidity

el **timón** rudder

el **tío** uncle

tira *3. sg. pres. ind. of* **tirar**

tirar to throw, throw away; upset, overturn; **por** —**te** for pushing you; — **de** to pull; —**se** to jump

tiré *1. sg. pret. ind. of* **tirar**

el **tiro** shot

tocar to touch

todavía still

todo, –a all, every; — **el mundo** everybody; *pl.* all, everybody; —**s los** every; **de** —**as partes** from everywhere; **en** —**as partes** everywhere, all over

toma *3. sg. pres. ind. of* **tomar**

tomar to take

Tomás *prop. n.* Thomas

tome *2. sg. imper. of* **tomar** to take

la **tonelada** ton

Tonín *prop. n.* Tony

el **tono** tone

la **tontería** nonsense

tonto, –a stupid, foolish; **el** —, fool

torcer (ue) to turn, change

torno: en — **de** around

torpe slow, stupid

Tortosa *a city in northeast of Spain*

la **torre** tower

el **trabajo** work, difficulty; fabric

la **tradición** tradition

la **traducción** translation

trae *3. sg. pres. ind. of* **traer**

traer to bring

tragar to suck in, pour in

traído *p.p. of* **traer**

traigo *1. sg. pres. ind. of* **traer**

traje *1. sg. pret. ind. of* **traer**

el **traje** costume, dress

trajo *3. sg. pret. ind. of* **traer**

tranquilamente peacefully, quietly

la **tranquilidad** peace

tranquilizar to quiet, pacify; —**se** to calm down

tranquilo, –a easy, without fear, calm, placid

el **transeunte** passer-by

transportar to carry

el **transporte** conveyance, cartage

tras behind, after

trataba *3. sg. imp. ind. of* **tratar**

tratar to treat; — **de** to try to

través: a — de through,
across; al — de through,
across

la travesura trick

trazado, –a swept

treinta thirty

tremendo, –a great

trémulo,–a trembling, tremulous

tres three

la tribu tribe

la tripulación crew

el tripulante one of the crew;
pl. crew

triste sad

tristemente sadly

la tristeza sadness

triunfante triumphant

la tropa troop

el trozo piece

tú *pers. pron.* you

tu(s) *poss. adj.* your

tumbarse to lie down

el tumulto uproar

tuve *1. sg. pret. ind. of* tener
to have

tuvieron *3. pl. pret. ind. of*
tener

tuvimos *1. pl. pret. ind. of*
tener

tuvo *3. sg. pret. ind. of*
tener; — que had to

U

ufano, –a proud

último, –a last, lowest,
cheapest

un(o), una a, an, one; —
por —, one by one; *pl.*
some

único, –a only, last, single

el uniforme uniform

unir to join, fasten, tie,
knot

unos, –as some

la urna urn, vessel

usted you (*the polite form
of address*)

el útil apparatus, implement,
tool, appliance

utilizar to use

V

va *3. sg. pres. ind. of* ir to
go; — a estrellarse is
going to dash

la vaca cow

la vacante vacancy

vacío, –a empty

vago, –a vague

vale *3. sg. pres. ind. of*
valer

valer to be worth, count,
cost; hacer —, to assert
(*a claim*); no podrás
hacer — tus derechos
you will not be able to
safeguard your rights

valiente brave, spirited;
spry, lively

la valija valise, grip

el valor value; bravery

el valle valley

vámonos = vamos + nos let
us go away, *1. pl. imper.
of* irse to go away

vamos *1. pl. pres. ind. and
imper. of* ir to go; *interj.*
come ! come !

van *3. pl. pres. ind. of* ir;
— a reñir are going to
quarrel

el **vapor** steamer

var:os, –as several

el **vasallo** subject, vassal

el **vaso** glass

vaya *2. sg. imper. of* **ir** to go

ve *2. and 3. sg. pres. ind. of* **ver** to see; **se —**, *3. sg. pres. ind. of* **verse** to be seen

veamos *1. pl. imper. of* **ver**

véase see, look up, *3. sg. imper. of* **verse**

veces *pl. of* **vez** time

vecino, –a of the neighborhood, next door; **el —o**, **la —a** neighbor

la **vegetación** vegetation

se **veía** could be seen, *3. sg. imp. ind. of* **verse** to be seen

veinte twenty; **— y cinco** twenty-five; **— y cuatro** twenty-four

la **vela** candle, taper

velar to watch

la **veleta** weathervane

el **velo** veil

veloces *see* **veloz**

la **velocidad** speed

veloz fast

ven *3. pl. pres. ind. of* **ver** to see

ven *2. sg. imper. of* **venir** to come

el **vencedor** winner

vencer to win, overpower

vende *3. sg. pres. ind. of* **vender**

vender to sell

vendería *1. or 3. sg. cond. of* **vender**

vendía *3. sg. imp. ind. of* **vender**

vendo *1. sg. pres. ind. of* **vender**

venga *2. sg. imper. of* **venir** to come

vengan *2. pl. imper. of* **venir**

la **venganza** revenge

vengo *1. sg. pres. ind. of* **venir**

venir to come

la **venta** sale; **a —**, on sale

la **ventaja** advantage; **llevar — a** to be in the lead of, be ahead of, have the better of

la **ventana** window

veo *1. sg. pres. ind. of* **ver**

ver to see; **—se** to be seen

verá *3. sg. fut. ind. of* **ver**

el **verano** summer

la **verdad** truth; **¿ no es —?** is it not true? **es —**, it is true

verdadero, –a true, real

verificarse to take place

la **verja** railing

vertical vertical

el **vestíbulo** portal, lobby

vestido, –a dressed; **— de mujer** dressed like a woman

el **vestido** dress

vestir (i) to dress

la **vez** (*pl.* **veces**) time; **en — de** instead of; **a su —**, in one's turn; **a la —**, at the same time

vi *1. sg. pret. ind. of* **ver** to see

la **vía** way, path; — **de agua** gash

viaja *3. sg. pres. ind. of* **viajar**

viajan *3. pl. pres. ind. of* **viajar**

viajar to travel

el **viaje** voyage, trip; **hacer** —**s** to take trips

el **viajero** traveler

el **vicio** fault

la **vida** life; **sin** —, lifeless

la **vieja** old woman

la **viejecita** little old woman

el **viejecito** little old man, kind old man

viejo, –**a** old; **el** —, old man

viene *3. sg. pres. ind. of* **venir** to come

vienen *3. pl. pres. ind. of* **venir**

vienes *2. sg. pres. ind. of* **venir**

el **viento** wind

vieron *3. pl. pret. ind. of* **ver** to see; **se** —, *3. pl. pret. ind. of* **verse** to see oneself

Vigo *seaport in northern Spain*

vine *1. sg. pret. ind. of* **venir** to come

vinieron *3. pl. pret. ind. of* **venir**

vino *3. sg. pret. ind. of* **venir**

el **vino** wine

vió *3. sg. pret. ind. of* **ver** to see

violentamente forcibly, noisily, vigorously

violento, –**a** violent

la **virtud** virtue, quality

visitar to visit

la **víspera** evening before, eve

la **vista** view, sight, eyes; **a la** —, in sight

visto *p.p. of* **ver** to see; *adj.* seen

la **viuda** widow

¡ **viva** ! good for . . . ! hurrah for . . . !

vive *3. sg. pres. ind. of* **vivir**

vivía *3. sg. imp. ind. of* **vivir**

vivir to live

vivo, –**a** alive

vivo *1. sg. pres. ind. of* **vivir**

voces *pl. of* **voz** voice

volar (**ue**) to fly

volver (**ue**) to return, turn; — **a** + *inf.* = *finite verb* + again: **volvió a decir** he said again; — **la espalda** to turn one's back; —**se** to turn (around); **al** —**se** upon turning around

volverá *3. sg. fut. ind. of* **volver** (**ue**); **no** — **a ocurrir** will not happen again

volviendo *pres. part. of* **volver** (**ue**)

volvió *3. sg. pret. ind. of* **volver** (**ue**)

vosotros, –**as** you

el **voto** vow

voy *1. sg. pres. ind. of* **ir** to go

la **voz** (*pl.* **voces**) voice, sound, cry; **a media** —, in a whisper

vuelto *p.p. of* volver (ue)

se vuelve *3. sg. pres. ind. of*
volverse (ue)

vuelvo *1. sg. pres. ind. of*
volver to return

vuestro, –a your

Y

y and

ya already, now, any more

yacer to lie

yo I

Z

el zapatero cobbler, shoe-
maker

zarpar to weigh anchor,
leave

¡ zas ! bang !